Les Contes d'Azade
Contes et légendes des
Îles-de-la-Madeleine
d'Azade Harvey
est le cinquième ouvrage
publié dans la collection
le goglu
des Éditions de l'Aurore

LES CONTES D'AZADE

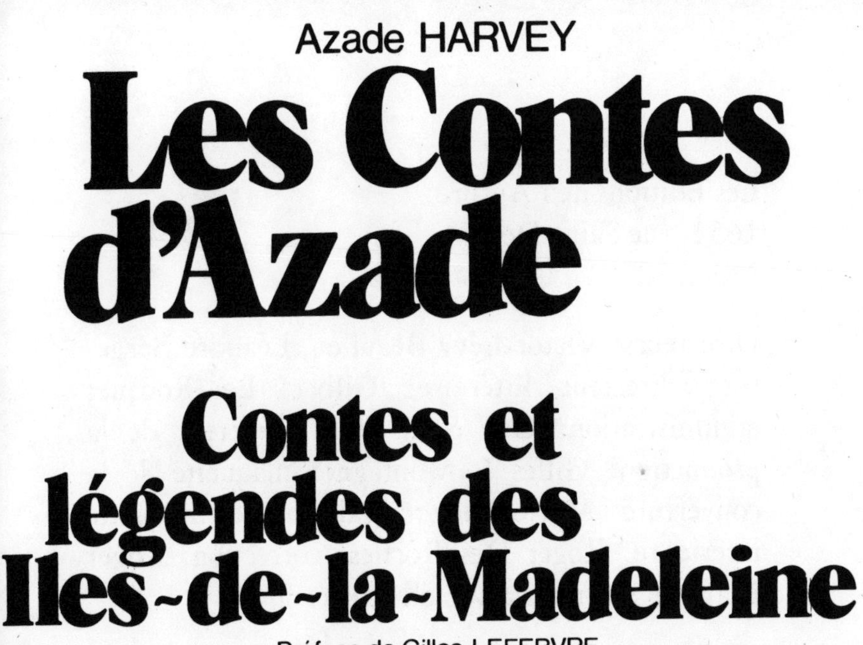

Préface de Gilles LEFEBVRE

Les Éditions de l'Aurore
1651, rue Saint-Denis
Montréal

Directeurs: Victor-Lévy Beaulieu, Léandre Bergeron; directeur littéraire: Gilbert La Rocque; administration: Guy Saint-Jean; directeur de la production: Gilles LaMontagne; maquette de la couverture: Mario Leclerc; calibrage et maquette intérieure: Roger Des Roches; correction: Roger Magini; seecrétariat: Hélène Beaulieu.

DISTRIBUTION
La Maison de Diffusion-Québec
1651, rue Saint-Denis
Montréal
Tél.: 845-2535

ISBN 0-88532-058-1

Dépôt légal—2e trimestre 1975
Bibliothèque nationale du Québec

Préface

C'est un bien grand honneur que m'a fait mon cher ami Azade Harvey — Azade tout court, comme l'appellent ses familiers — en demandant au «Canadien» que je suis d'écrire une préface à son fascinant recueil de contes et légendes qui chantent le passé des Îles, de «nos» Îles. Je me sers du possessif, car celui qui a vécu un tant soit peu aux Îles-de-la-Madeleine (et je suis de ceux-là) conserve un sentiment impérissable d'appartenance, une tendresse qui le fait, à tout jamais, membre d'une famille qui sait reconnaître ses enfants, partout dans le monde. Et Dieu sait comme ils ont bourlingué, «gaboté», voyagé, ces Madelinots infatigables, intrépides héros de la mer, souvent fouettés par les vents glacés de l'exil. S'ils ont enfin pris racine dans leur minuscule archipel, ce n'est pas sans avoir longuement souffert des déplacemnts successifs dont leur histoire est remplie. Depuis l'ancestrale Acadie, en passant par les îles françaises de Saint-Pierre et Miquelon, en attendant, dans bien des cas, de reprendre l'amer chemin de l'émigration vers le «Canada», les Madelinots ont patiemment, jalousement, amoureusement façonné leur chère Patrie insulaire à l'image des hommes et des femmes qu'ils étaient, et qu'ils sont toujours: c'est-à-dire dans l'honnêteté, l'accueil, la fierté, le dévouement. Je dirais, paraphrasant Hémon, qu'ils ont fabriqué, aux Îles, «le plus humain de tous les coeurs humains». Tout au long de ce passé de misère et de résistance, de douleurs sublimées et d'isolement indescriptible, ces travilleurs de la Mer ont présenté à leurs enfants et à leurs voisins un front serein, une santé morale faite d'ironie et d'une indestructible détermination à vivre. Douces et rudes à la fois (sirène ensorceleuse et nid à naufrages, comme femme soumise mais terrible Furie), les Îles n'ont jamais été complètement conquises. Et cela, mes frères madelinots le savent mieux que tous les étrangers qui sont venus, soit pour exploiter les autochtones, soit pour se prélasser distraitement sur le sable immaculé de ces plages infinies. Avec Azade, j'apprends, tout comme l'enfant qu'il a été, à porter mon regard vers l'horizon mystérieux qui se noie, au nord-est de la Pointe-aux-Loups, dans les brumes de l'inquiétante Île Brion. C'est en pénétrant dans les repaires des fées, des loups-garous, des lutins et des feux-folets, c'est en interrogeant les marionnettes, que notre auteur — arrière-petit-fils de pêcheurs sacrifiés aux inexorables fiançailles de la Mer — parvient à exorciser les fantômes de ceux qui ont disparu dans les entrailles liquides du Golfe. C'est en écoutant avec son coeur de barde populaire la mélopée lancinante des sirènes aux refuges insondables, que le conteur a su déchiffrer le mystère des lointaines origines et apporter la paix à l'âme des Noyés.

Ami lecteur, je t'invite avec empressement à pénétrer, sous la conduite de notre Guide et Pilote, Azade (toujours et à jamais Madelinot, même après vingt-cinq ans d'exil), dans l'univers merveilleux des anciens. Eux qui n'avaient que leurs bras pour survivre mais tout leur coeur pour aimer, savaient aussi penser. C'est cette pensée, sous une forme allégorique, par la magie des fortes images et de l'anecdote, que l'ami Azade a su puisamment (malgré ses craintes et en dépit des obstacles) tirer de l'oubli pour en faire une instructive et touchante anthologie. Et, comme le veut le dicton des Îles, «les vieux disaient bien la vérité!»

Gilles LEFEBVRE, M.A., Ph.D.,
professeur agrégé
à l'Université de Montréal

Je dédie ce livre à ma femme Carmen,
à mes trois fils,
Serge, Ghyslain et Sylvain,
ainsi qu'à Suzanne, femme de Serge,
et à Carole, amie de Ghyslain.

Albert et sa sirène

ALBERT était le meilleur pêcheur de homard des Îles. Sa barge à voile était toujours chargée jusqu'au bord quand il rentrait à la fin de l'après-midi et qu'il l'amarrait à un des poteaux du quai. Il était toujours souriant et chantonnait des airs inconnus.

Parfois, un ami lui demandait: «Peux-tu bien me dire, Albert, où c'est que tu vas pêcher pour poigner tout ce homard-là? Ta barge est toujours pleine à craquer.» Il le regardait alors avec un air mystérieux et disait: «C'est ma sirène qui m'apporte tout ça!

—Comment, une sirène? reprenait l'autre, tu sais bien que ça n'existe pas. Essaie pas de nous forger des histoires, parce qu'on t'croit pas.»

Alors, pour rendre son histoire plus vraie, Albert décrivait la sirène comme suit: «Elle a de grands yeux séduisants, des cheveux blonds qui lui couvrent les épaules, une peau très lisse et elle ressemble à une jeune fille jusqu'à la ceinture. Plus bas, c'est une queue de poisson (ce qui le désappointait un peu d'ailleurs). Elle s'asseoit sur les roches en chantant des chansons d'amour...»

Bien entendu, ses amis ne croyaient pas à toutes ces histoires. Mais c'était tout de même étrange de voir arriver, jour après jour, la barge chargée de homards, avec un Albert tout souriant qui chantait ses chansons mystérieuses. Cette situation tracassait un peu les autres, qui ne comprenaient toujours pas.

Un jour, il revint du large et accosta au quai de Cap-aux-Meules; mais il ne souriait plus. La barge était presque vide, et Albert présentait un visage triste comme la mort. Il faisait pitié à voir. Les autres, surpris, lui demandèrent: «Quoi c'est que t'as, Albert, t'es pas comme les autres jours. Tu chantes plus tes belles chansons et ta barge est presque vide.

—Ah! j'ai rien, dit Albert, ennuyé.

—Oui, t'as quelque chose qui ne va pas! Dis-le-nous et peut-être qu'on pourra t'aider.

—C'est bien; vous voulez le savoir? reprit Albert. Je vais vous le dire. C'est ma sirène qui est malade; elle ne peut plus pêcher pour moi. Peut-être que je ne pourrai plus jamais entendre son chant joyeux.

—Encore cette maudite histoire de sirène?

Nous prends-tu pour des fous? Tu sais bien qu'on ne te croit pas.

—J'y ai bien pensé, que vous ne me croiriez pas», dit Albert.

Chacun s'en retourna, ce soir-là, en cherchant à percer le mystère d'Albert. Arrivé chez lui, Jean-Louis, son ami de toujours, se dit qu'il devait bien y avoir quelque chose et qu'Albert n'était pas triste pour rien. «Et s'il disait la vérité? On aurait l'air fou...» C'est à ce moment que lui vint l'idée de le suivre.

Le lendemain, au petit jour, il se rendit au quai de Cap-aux-Meules. Puis, il attendit qu'Albert largue les amarres et qu'il ait parcouru une bonne distance. Il embarqua à son tour dans sa barge et le suivit à distance. Albert contourna la Pointe-Basse et se dirigea vers la Grande-Entrée. Jean-Louis se demandait où il pouvait bien aller. Il rondit la pointe de l'est et mit le cap sur le Rocher-aux-Oiseaux. Il faisait un bon suroît qui gonflait les voiles. Les goélands volaient au-dessus de sa tête. Au loin, une baleine sourdait des profondeurs de la mer, soufflant à la surface son jet d'eau. Les pourcis s'amusaient à sauter hors de l'eau à quelques pieds de sa barge. Tout à coup, il voit Albert disparaître derrière le Rocher-aux-Oiseaux. Il continue à le suivre et, en contournant la pointe nord du Rocher, il l'aperçoit, assis dans sa barge avec sur les genoux quelque chose qu'il caressait affectueusement. Il s'approche encore et voit que c'est une grosse vache marine.

En apercevant Jean-Louis, Albert poussa un cri de surprise: «Ah! tu m'as suivi, hein? Tu ne m'croyais pas? V'là la preuve que je disais la vérité!» Il se mit alors à lui raconter une étrange histoire... «V'là six mois, pendant que je pêchais le homard et que j'en poignais pas beaucoup, j'vois ma sirène rsoudre de l'eau avec deux homards dans la gueule et me r'garder de ses beaux grands yeux comme si elle avait voulu dire: «Prends-les, ils sont à toi.» J'prends donc les deux homards et lui caresse un peu la tête. La v'là tellement contente qu'elle r'plonge et r'monte aussi vite avec deux autres homards. Et ç'a duré toute la journée, jusqu'à ce que ma barge soit pleine. Depuis c'temps-là que ça dure! C'est pour ça que ma barge était toujours chargée de homards. Hier, j'ai trouvé ma sirène sur un rocher, le ventre en l'air; elle avait de la misère à respirer. Pas besoin de te dire que j'ai de la peine, sans compter que ma pêche va diminuer.»

Jean-Louis, qui jusqu'ici avait écouté Albert, lui dit: «Tu ne me blâmes pas de ne pas t'avoir cru. C'est tout de même incroyable! Qui aurait dit qu'une grosse vache marine t'aurait aidé à devenir riche?

«J'ai une idée, Albert. On va soigner ta sirène, mais à une condition: on n'dira rien à personne, on gardera tout ça secret. Une fois guérie, elle va continuer à pêcher pour nous et on partagera les profits qui seront nets. On n'aura pas la peine de s'acheter des cages. Mais surtout, va jamais dire rien à personne...»

Les jours suivants, on pouvait voir Albert et Jean-Louis revenir de la pêche, debout dans leur barge chargée jusqu'au bord de homard. Tout joyeux, ils chantaient des chansons qu'on n'avait jamais entendues auparavant.

Bertha la Puce

ON l'appelait «la Puce». Personne n'a jamais su pourquoi. Elle était connue dans le canton du Grand-Ruisseau pour être une femme étrange qui possédait des dons surnaturels. Elle était jolie, grassette, avec de beaux grands yeux bleus et des cheveux blonds.

Elle avait un rire franc et honnête comme on en entend rarement et elle souriait tout le temps. Parfois, on la voyait marcher seule dans le chemin, se parlant à elle-même et faisant de grands gestes comme si elle avait eu quelqu'un à ses côtés. On l'entendait même rire aux éclats à ces moments-là.

Bien des gens prétendaient qu'elle était folle. Pourtant, elle avait une imagination fébrile, ce qu'on ne pouvait pas dire de tous ceux qui l'entouraient. Certains allaient même jusqu'à l'éviter à l'occasion, mais elle s'en fichait bien.

Elle vivait seule, son mari étant mort depuis longtemps dans un accident de chasse. Elle n'avait pas eu d'enfant. Sans être riche, elle possédait une maison, une étable, quelques animaux et un petit lopin de terre qu'elle cultivait pour se nourrir.

Le soir, les jeunes du canton allaient chez elle pour se faire tirer aux cartes et, aussi surprenant que cela puisse paraître, elle leur prédisait le plus souvent des choses qui arrivaient. Les vieux, eux, n'osaient s'approcher de sa maison. Ils avaient peur d'elle; ils la croyaient ensorcelée et étaient persuadés qu'elle parlait au diable. Quant aux jeunes, ils la respectaient.

C'était une de ces femmes sans âge, qui peuvent avoir cinquante ans tout aussi bien que trente. On disait aussi qu'elle était amie des fées et des lutins. Souvent, le soir, quand on passait devant son étable sur le chemin du Grand-Ruisseau, on entendait la Puce qui parlait avec quelqu'un. C'était mystérieux. On distinguait très bien sa voix, alors que celle des autres était comme un murmure à peine perceptible. Des fois, on attendait des heures avant que la Puce sorte de l'étable; on supposait alors que quelque jeune du canton la courtisait. Mais pourquoi à l'étable et non pas à la maison? se disait-on. Enfin, on la voyait sortir, le visage radieux et disant: «Au revoir! et à la nuit prochaine, à minuit tapant!» Puis le silence retombait sur l'étable de Bertha la Puce.

Parfois, en plein été, alors qu'il faisait une

chaleur suffocante, elle s'habillait d'une manière bizarre: elle portait de grandes bottes de pêcheur qui lui montaient jusqu'aux hanches et un manteau en tissu épais. La sueur coulait sur son visage.

Un beau jour, le grand Todore—le plus moqueur du canton—la rencontre dans le chemin entre les deux buttes, alors qu'elle revenait de Cap-aux-Meules avec les bras chargés de provisions. Il la regarde d'un air moqueur et lui dit en souriant: «Où c'est qu'tu vas, la Puce, habillée come ça? Vas-tu à la pêche?

—Mon grand fou, toa! fit-elle. T'es mieux d'arrêter de te moquer. Tiens! j'te souhaite que ce soir même tu tombes dans un trou d'eau et que tu te noies.»

Todore, indifférent au sort qu'elle venait de lui jeter, poursuivit sa route en riant. Le soir venu, l'idée lui vient d'aller jouer un tour à la Puce. Il sort de chez lui et descend la butte en traversant le chemin. Arrivé à une centaine de pieds de la maison, il tombe dans un trou (un vieux puits désaffecté où l'eau s'accumulait toujours). Il a de l'eau jusqu'à la ceinture, et soudain il pense à ce que la Puce lui avait prédit dans la journée. Prenant peur, il se met à crier: «La Puce, sauve-moa! par pitié! La Puce, sauve-moa!» C'est alors que la Puce, entendant ces cris, se dirige vers le puits, au fond duquel elle aperçoit Todore qui se débat dans l'eau. Elle se met à rire et lui dit: «J'sais pas ce qui me r'tient de te laisser mourir là.

—Pour l'amour du Bon Dieu, la Puce, sors-moa d'ici et j'te promets de ne jamais plus me moquer de toa.

—Espère une seconde, dit-elle, j'vas hucher à mes lutins qu'ils me donnent un coup de main... Jacques, Claude, Victor, venez vite ici? Le grand Todore est au fond du puits.»

Tout à coup, il aperçoit trois petites têtes d'hommes avec de grandes barbes, qui se penchent sur le puits et lui disent: «On va t'apporter une amarre; poigne-toa dessus!» Il s'agrippe d'une poigne solide à l'amarre qu'ils lui tendent et, les deux pieds sur les parois du puits, réussit à se hisser jusqu'à la surface. Il était sauvé. Il eut tout juste le temps de voir les trois petits lutins disparaître. Il dit alors à la Puce: «T'es bien bonne de m'avoir sauvé la vie. Mais tes lutins, où c'est qu'ils sont? Je voudrais les remercier.

—Mes lutins, dit-elle, ils sont disparus et tu ne les verras plus!»

Trempé jusqu'aux os, la mine basse, il s'en retourna chez lui. Chemin faisant, il entendit soudain sa propre voix qui venait d'en arrière de la butte du Marconi et qui disait: «La Puce, sauve-moa! la Puce, sauve-moa!...»

L'homme sans coeur et sans remords

JOSEPH, l'homme le plus influent de l'île, était propriétaire d'un magasin général, bâti avec l'argent gagné à l'occasion des campagnes électorales.

C'était pendant la dépression: l'argent était rare. Le poisson ne se vendait pas cher. Tous étaient très pauvres, et les pêcheurs des Îles se voyaient réduits à acheter la nourriture à crédit, en promettant de payer en poisson l'année suivante si la pêche était bonne. Or, les saisons de pêche se suivent mais ne se ressemblent pas. Par la suite, certains pêcheurs perdirent tous les gréements dans la tempête, de sorte que leurs dettes augmentèrent. C'est alors que Joseph profita de l'occasion pour exploiter les pêcheurs qui lui devaient de l'argent.

Ce fut le cas d'Édouard, père d'une nombreuse famille et très bon pêcheur. Il avait acheté de la marchandise à crédit à son magasin. La date de paiement étant échue, il n'avait pas encore réussi à payer ses dettes. Un jour, de bon matin, Joseph se rend chez lui. Entré dans la maison, il s'assied et dit à Rita, la femme d'Édouard: «Ton mari est-y ici?

—Non, répond-elle; il est parti cri un voyage de foin sur Les Caps pour notre vache.

—Il en aura pas besoin! reprend Joseph. Je viens saisir sa vache pour payer ses dettes. A moins que...

—A moins que quoi? fait Rita, étonnée; à moins que quoi?

—Bien, lui dit Joseph, tu sais que... t'es bien belle et appétissante et que ça fait longtemps que j'ai envie de toi. Si tu voulais...

—Non Joseph, jamais! Et sors d'ici tout de suite. Tu reviendras demain, quand Édouard y sera.»

Le lendemain matin, il revint chercher la vache. Édouard lui dit: «Prends-la, ma vache, mais, mon Godam', tu ne l'emporteras pas dans l'autre monde avec toi.»

Joseph s'en alla, content, entraînant la pauvre vache attachée en arrière de son auto, sachant qu'il la vendrait pour de l'argent comptant.

C'était un dur, le vieux Joseph! Pendant les campagnes électorales, il allait trouver les gens qui travaillaient pour lui et leur disait: «Si vous ne votez pas pour mon parti, vous perdez vos jobs.» La plupart de ces pauvres gens aux grosses familles prenaient peur et n'osaient jamais voter contre son parti. C'est pourquoi, pendant trente ans, Joseph fut toujours au pouvoir.

Mais, comme tout le monde, il vieillissait. C'était là une justice divine, disaient les vieux. Et lui, qui aurait voulu vivre éternellement, dépérissait de jour en jour, rongé par un cancer. Il devint désespéré. Après avoir fait souffrir tant de pauvres gens, il fut pris de remords.

Un jour qu'il était plus déprimé que d'habitude, il appela la religieuse qui le soignait à l'hôpital et lui dit: «Si tu veux me promettre de me faire passer la porte du paradis, je te donne tout l'argent que j'ai.» Mais la religieuse, connaissant sa réputation, ne lui promit rien. De toute façon, comment, elle, pauvre petite religieuse, pouvait-elle lui faire passer la porte du paradis? Cela ne relevait pas de ses pouvoirs; il eût fallu un miracle, et les miracles n'arrivent pas tous les jours.

Incertain du sort qui lui était réservé de l'autre côté, Joseph perdit l'esprit; il devint fou de désespoir. Par moments, toutes ces pauvres gens qu'il avait tant fait souffrir lui apparaissaient, autour de son lit, et lui faisaient des reproches. A la religieuse qui le soignait, il disait souvent: Ôte donc la vache qui est sur moi, qui m'écrase et m'étouffe!...» C'était la vache d'Édouard.

La butte du Nègre

EN 1812, un négrier anglais chargé d'esclaves faisait route vers Montréal. Ce bateau était parti d'Afrique, à destination de New-York; mais il n'avait pu accoster dans aucun port américain à cause de l'état de guerre qui régnait à ce moment-là aux États-Unis. C'est pourquoi le capitaine décida de faire route vers Montréal pour y décharger sa cargaison.

Au fond de la cale, tous les Noirs étaient enchaînés comme des animaux. Une odeur nauséabonde y régnait. Ceux qui avaient la chance de mourir pendant le voyage étaient jetés par-dessus bord pour être mangés par les requins.

Quelques jours après leur départ d'Afrique, un plan de révolte et d'évasion fut établi. Il y avait, parmi les esclaves, un grand diable qui se nommait Cinq et qui prit la tête des révoltés. C'était un géant de sept pieds, fort comme dix hommes. Il réussit à briser ses chaînes, après quoi il délivra six de ses compagnons et attendit que le gardien descende leur porter de l'eau. Quand celui-ci apparut, il lui sauta sur le dos et le tua d'un seul coup de poing. Il s'apprêtait à délivrer les autres, quand l'alerte fut donnée. Les membres de l'équipage, armés d'épées et de bâtons, descendirent dans la cale afin de réprimer la révolte. Ils étaient vingt à se battre contre ces sept esclaves endiablés qui voulaient se rendre maîtres du navire dans le seul but de retourner dans leur pays natal. Quand le combat prit fin, quinze membres de l'équipage étaient morts et six esclaves gisaient par terre. Seul le chef des révoltés, le géant noir, avait tenu le coup contre cinq membres de l'équipage, jusqu'au moment où l'un d'entre eux lança son épée qui lui transperça le bras. La douleur diminuant ses forces, les autres en profitèrent pour lui sauter dessus et le maîtriser. Ils lui lièrent les pieds et les mains avec des chaînes et le transportèrent sur le pont, où le capitaine lui fit un semblant de procès et le condamna à marcher la planche. Au temps des pirates et des corsaires, marcher la planche correspondait ni plus ni moins à la mort par noyade. Il s'agissait d'une planche ou d'un madrier fixé sur le pont et dont une extrémité dépassait de quelque cinq pieds la coque du navire. On attachait les mains et on bandait les yeux des condamnés à mort, puis on les obligeait à marcher sur la planche jusqu'à ce qu'ils tombent à l'eau et se noient.

Quand l'ordre fut rétabli, on nettoya la cale et on donna à manger aux esclaves en les avertissant de se tenir tranquilles, sans quoi ils devraient, eux aussi, marcher la planche.

Le négrier parvint sans encombre au Détroit de Cabot, entre Terre-Neuve et le Cap-Breton, où la brume était si dense qu'on aurait pu la couper au couteau. Le capitaine naviguait donc à l'aveuglette. Tous les membres de l'équipage étaient sur le qui-vive. Des vagues grosses comme des montagnes fonçaient sur le navire. Au large de la Pointe-aux-Loups, une vague plus grosse que les autres engloutit le bateau qui se perdit corps et biens. Les esclaves enchaînés dans la cale restèrent au fond de l'eau, sauf un seul, un Noir catholique, que la mer déposa sur la côte. Le lendemain, des pêcheurs madelinots le trouvèrent mort sur une butte de sable qu'ils nommèrent par la suite la butte du Nègre.

On creusa un trou dans le sable et on l'enterra. A la tombée du jour, on aperçut comme une lumière qui vacillait au-dessus de l'endroit où il était inhumé. Le lendemain, on retourna sur les lieux: le cadavre était déterré et gisait la face contre terre. Une deuxième tentative échoua également. On fit donc un cercueil en ciment, que l'on déposa dans un trou de dix pieds de profondeur que l'on remplit de roches ensuite. Cette fois, le Noir ne revint plus. On conclut par la suite que s'il revenait toujours à la surface, c'est qu'il voulait se faire enterrer dans un cimetière catholique, ce à quoi on n'avait pas pensé plus tôt.

Aujourd'hui encore, on voit de temps en temps comme une lumière qui voltige au-dessus de la butte du Nègre. Qui sait si un beau jour le nègre ne réapparaîtra pas à la surface du sable, sur la dune?

La peur sur l'île

PENDANT la saison de pêche, les pêcheurs s'isolaient pendant deux ou trois mois sur l'île Brion, pour se rapprocher des hauts-fonds de homard. Laissant leur femme ou leur blonde à la maison, les jeunes, pour se désennuyer, passaient leur temps à jouer des tours aux plus vieux.

Il y avait parmi eux un gars costaud qui se vantait de n'avoir peur de rien, ni des morts, ni des fantômes. Quelques jeunes lui lancèrent un défi: «Si tu es assez brave pour aller au cimetière et pour planter un couteau sur un des monuments de bois, on te donne vingt piastres.» Le montant offert n'était pas à dédaigner. Notre gaillard accepte le défi et leur dit: «Demain soir, à minuit, j'irai tout seul au cimetière!» Le lendemain soir, la peur le poigne. Il se met à trembler de tous ses membres. Mais sa réputation était en jeu et il ne pouvait plus reculer. Ce qui était dit était dit.

A minuit tapant, il met son capot long et,

laissant ses amis à la cabane, il part en courant pour se rendre au cimetière. Il tremble de tous ses membres et regarde de temps en temps derrière lui pour voir si quelque fantôme ne le suit pas. Enfin, surmontant sa frayeur, il sort son couteau et le plante dans un des monuments de bois. Comme il s'apprête à se sauver, il se sent retenu par son capot. Il a l'impression qu'on veut l'entraîner dans la tombe. C'est sûrement le mort qui veut se venger, pense-t-il. La sueur l'aveugle malgré le nordet qui souffle. Rassemblant toutes ses énergies, il donne un grand coup sur son capot et réussit à se dégager de cette emprise mystérieuse. Il se sauve à toutes jambes et réussit de peine et de misère à revenir à la cabane où l'attendent ses amis. Blême comme un mort, les cheveux à pic sur la tête, il leur dit: «Ça parle au Godême, j'ai eu une peur maudite! Imaginez-vous que le mort voulait m'entraîner avec lui dans la fosse. Il me halait par le bord de mon capot, et ç'a pris toutes mes forces pour m'en échapper.»

Le lendemain matin, ses amis allèrent au cimetière vérifier s'il avait dit la vérité. Mais quelle ne fut pas leur surprise en apercevant sur le monument un morceau de tissu. Le vent avait probablement fait voler le bas du capot de notre gaillard alors qu'il plantait le couteau; ce qui explique qu'il était retenu au monument. C'était ça, le mort qui voulait l'entraîner avec lui.

•

Par un beau soir d'été étoilé et baigné par le clair de lune, un groupe de jeunes isolés sur l'Île s'ennuyaient au point qu'ils auraient donné n'importe quoi pour se retrouver avec leur petite amie. A ce moment, des pêcheurs étrangers pêchaient près des côtes et, ce soir-là, ils débarquèrent sur l'île. Les jeunes qui se promenaient dans un petit sentier longeant la côte rencontrèrent les pêcheurs étrangers et, après un brin de conversation, leur firent part de leur ennui. Un des étrangers leur dit: «Si vous tenez absolument à voir vos blondes ce soir, vous pouvez les voir!» Par curiosité, un des jeunes lui demanda: «Et comment ferez-vous?

—Eh bien, voici: tu vois le vieux canot qu'il y a sur la côte? Embarque avec nous. Mais il ne faut pas que tu penses à Dieu ni aux saints. Autrement, tu tombes à l'eau et tu te noies.»

Un des jeunes accepta. Une fois embarqué, sans croire à ce qu'on lui avait dit, il continua néanmoins à jouer le jeu jusqu'au moment où le canot commença à bouger de lui-même. Les étrangers se mirent à chanter des chants qu'il ne comprenait pas. Puis, comme il les regardait, il s'aperçut soudain qu'ils avaient cessé de sourire et que leur visage était déformé par une grimace infernale. Il se sentait de moins en moins rassuré. Sa peur grandissant, le jeune homme fit un effort considérable et réussit à sauter du canot. A peine l'eut-il quitté qu'il le vit s'élever et disparaître dans un nuage de poussière, pendant qu'au loin on entendait chanter:

«On l'avait, le petit bonhomme;
On n'l'a plus, c'est monotone;
On aurait pu avoir du fun...»

La défunte *Flash*

C'ÉTAIT en 1880. Depuis une heure à peine, la goélette était amarrée au quai de Cap-aux-Meules. Philippe, deuxième maître à bord de la *Flash*, était sur le pont, assis sur un baril; il regardait d'un air triste les rats déserter la goélette en trottinant le long des amarres qui la retenaient au quai, pour disparaître ensuite dans des trous. Apercevant le capitaine qui sortait de sa cabine, Philippe lui dit: «R'garde donc les rats qui désertent la goélette. Je n'aime pas ça! C'est un signe de malheur.» Le capitaine ôta la pipe qu'il serrait entre ses dents, cracha par-dessus bord un jet de salive brunâtre et lui dit avec un sourire moqueur: «Toi, tu m'fais penser à ma défunte grand-mère avec tes superstitions. Je me souviens que, dans mon enfance, si on faisait tourner un couteau sur la table avec nos doigts, elle nous donnait une claque sur les oreilles en nous disant d'arrêter parce que ça pouvait nous porter malheur.

Mais la seule malchance qu'on aurait pu avoir aurait été de se couper... Toi, t'es comme elle. J'vais t'dire pourquoi les rats désertent la goélette et se sauvent: c'est parce qu'ils sont tannés de te voir le visage. Malheureusement, moi, je ne peux pas faire comme eux, je suis obligé de t'endurer.» Puis il se mit à rire et monta sur le quai, après avoir lancé un autre crachat par-dessus bord.

Philippe n'apprécia pas cette plaisanterie de mauvais goût qui n'avait fait qu'augmenter son inquiétude. Il se demanda quel malheur pourrait bien lui arriver. Il se leva, descendit dans la cale et inspecta tous les recoins. Tout avait l'air normal. Le bateau était vieux, certes, mais encore très solide. Il remonta sur le pont et y examina tout l'équipement de navigation. Rien ne manquait et tout fonctionnait très bien. Quant aux voiles, elles étaient en bon état, de même que le gouvernail. Il pouvait sûrement faire la traversée du golfe jusqu'à Québec sans difficulté.

Philippe était un vieux marin d'expérience, et il connaissait son bateau à fond. Jamais il ne s'était senti aussi misérable qu'aujourd'hui: il avait le pressentiment que quelque chose de terrible allait se produire pendant la traversée du golfe. Il descendit dans sa cabine pour y faire sa toilette. Quand il débarqua sur le quai, habillé de linge propre, il se sentait un peu mieux et il rentra chez lui pour voir sa femme et ses enfants. Il gravit lentement la pente de la butte du Marconi, marchant le dos courbé comme s'il avait eu un poids énorme sur les épaules. Puis il descendit au même rythme l'autre versant de la butte, tourna à gauche au chemin du Grand-Ruisseau et se dirigea vers sa maison.

Il arriva avec un visage si triste, que sa femme Noëla s'en étonna et lui demanda: «Quoi c'est que t'as, Philippe, t'es blême comme un mort? Es-tu malade?

—Non, répondit-il, j'suis pas malade.»

Et il lui raconta ce qu'il avait vu sur le bateau.

«Mon pauvre Philippe, dit-elle, tu te fais des idées pour rien. C'est pas la première fois que des rats désertent un bateau. Ça n'veut rien dire. C'est rien que des superstitions.» En était-ce vraiment?

Trois jours plus tard, la goélette fit voile vers le large, chargée jusqu'au bord. Quand on vit la *Flash* pour la dernière fois, elle voguait au large de Havre-Aubert, toutes voiles déployées. Puis, on attendit qu'elle revienne. Mais la *Flash* ne revint pas. Elle ne se rendit même pas à Québec.

Les jours qui suivirent cet accident, des marins madelinots qui naviguaient le long du fleuve ou du golfe demandaient: «Avez- vous vu la *Flash*?» Chaque fois, on leur répondait négativement. Personne ne revit plus la *Flash* ni son équipage de

Madelinots. On ne trouva jamais ni cadavre, ni morceaux d'épaves de la défunte *Flash*, rien.

La goélette à Bert

BERT était propriétaire d'une petite goélette dont il se servait pour pêcher ou pour transporter de la marchandise sur le continent. Père d'une nombreuse famille, Bert était un marin et un pêcheur d'expérience. La mer et sa goélette, il les connaissait, mais peut-être pas encore assez...

Un matin du mois de juillet, alors qu'il faisait très beau et que le vent était favorable, il décida d'aller pêcher le hareng au large de l'Île d'Entrée. C'était au temps des foins. Il fallait donc qu'un de ses quatre fils demeure à la maison pour le ramasser. On tira à la courte paille pour savoir qui devrait rester à terre pendant que les autres iraient à la pêche.

Le hareng abondait au large. Bert et ses trois fils, encouragés par cette manne annuelle, travaillaient comme des forcenés pour remplir la goélette le plus vite possible. Ils calculaient tout haut le profit qu'ils allaient faire avec cette pêche, car le prix du poisson avait augmenté de deux cents la livre cette année-là.

Plusieurs pêcheurs des Îles accompagnaient Bert à distance et pêchaient, sans s'occuper de lui ni des autres. Chacun se hâtait pour prendre le plus de poisson possible, sachant que cette abondance ne durerait pas longtemps.

Vers deux heures de l'après-midi, le soleil disparut derrière d'épais nuages noirs qui galopaient au-dessus des goélettes. Le vent s'éleva et prit rapidement de la force, puis les vagues se gonflèrent jusqu'à ressembler à des montagnes d'eau. C'était la tempête. Plusieurs goélettes hissèrent les voiles et appareillèrent vers le Cap-aux-Meules. En passant près de la goélette à Bert, ils lui demandèrent si tout allait bien. Il leur répondit qu'il attendrait un peu avant d'appareiller, croyant qu'il y aurait une accalmie. C'était aussi un peu par orgueil que Bert faisait le brave. D'ordinaire, il n'avait peur de rien, ce qui le portait parfois à manquer de prudence. C'est d'ailleurs ce qui causa sa perte.

Au plus fort de la tempête, des hommes montés sur une butte de l'Île d'Entrée pouvaient voir, à l'aide de longues-vues, toutes les goélettes de pêcheurs qui revenaient au port. Sauf une, celle de Bert. On a vu ses voiles se déchirer et ses mâts se casser. Par moments, on la voyait qui montait sur la crête de la vague pour aussitôt disparaître dans le creux, puis réapparaître ensuite. On savait qu'elle était en difficulté et qu'elle ne réussirait jamais à revenir au quai de Cap-aux-Meules. Mais que pouvait-on faire dans une pareille tempête? Enfin, elle disparut pour ne plus reparaître et alla se poser au fond de la mer.

Des cadavres furent rejetés à la côte longtemps après; mais on ne put jamais les identifier. Par contre, aucun morceau d'épave n'échoua sur la côte. Aujourd'hui encore, après plus de quarante ans, quand une tempête s'élève aux Îles et que certains pêcheurs sont au large, ils se souviennent de la tempête où Bert et ses trois fils périrent corps et biens.

La légende du cheval blanc

AU printemps de 1720, l'équipage de plusieurs bâtiments accostés à La Rochelle était occupé à charger des provisions et des marchandises, principalement du blé acheté des paysans de la campagne environnante pour la Nouvelle-France. Ce grain devait servir de monnaie d'échange contre des peaux de castors qu'on trouvait en abondance en Nouvelle-France et qui valaient très cher en Europe.

Le jour du départ, un dimanche après la messe, on fit ses adieux aux parents et aux amis, pour ensuite recevoir la bénédiction du curé accompagnée de souhaits de bonne chance et de bon retour à l'automne suivant.

Au départ de La Rochelle, la mer était très calme. On pouvait voir au loin un troupeau de baleines descendant du nord pour aller mettre bas leurs petits dans le sud de l'océan Indien. Un bon petit suroît gonflait les voiles. Parmi les passagers, figuraient entre autres des missionnaires et des négociants qui venaient de France et d'Italie pour échanger de menus articles de fantaisie contre des peaux de bêtes sauvages. Chacun de ces négociants rêvait de faire fortune à son retour en Europe.

Tout le monde était joyeux à bord, même si la traversée s'annonçait longue et dure. Il y avait beaucoup de talents parmi eux: chacun y allait de ses chansons ou jouait de la musique; d'autres dansaient, chaussés de sabots de bois à la mode du pays.

La traversée se fit sans incident. C'était au commencement d'avril, le mois le plus brumeux de l'année dans le nord de l'Atlantique. Quand on arriva au large des bancs de Terre-Neuve, la brume était épaisse, au point qu'on voyait à peine à dix pieds en avant du bateau. On fit baisser les voiles pour diminuer la vitesse du navire. Des heures durant, on navigua à l'aveuglette, et quand la brume se dissipa l'on vit au loin les goélettes des pêcheurs basques qui pêchaient la morue sur les bancs de Terre-Neuve. A l'entrée du détroit de Cabot, on vit une terre ou plutôt des îles; puis, on contourna la côte et on descendit vers le sud. Soudain, de bonne heure le matin, le capitaine entendit un cri qui venait du haut du grand mât: «Cheval blanc à bâbord!» Il bondit hors de sa cabine en se disant: «Comment, un cheval blanc en pleine mer? Impossible!» Il grimpa à son tour en haut du mât et vit à la surface de la mer une tache blanche qui avait la forme d'un dos de cheval. Il s'aperçut vite que ce cheval blanc était des plus dangereux: c'étaient des rochers à fleur d'eau où la vague venait se briser pour ensuite les recouvrir d'une écume blanche.

Voilà comment les rochers, à quelques milles de la côte de l'Étang-du-Nord, furent nommés les rochers du Cheval blanc.

La maison de la dune

LA maison de la dune était une de ces nombreuses cabanes bâties par les pêcheurs sur la dune du nord, près de la Pointe-aux-Loups. Certains pêcheurs les habitaient durant la saison de pêche au homard, qui durait un peu plus de deux mois. Ils étaient ainsi plus proches des hauts-fonds, où la morue et le homard abondent. Près de ces cabanes se trouvait un petit quai où accostaient les barges à voiles. C'est là qu'on les amarrait pour la nuit. En revenant du large, on les voyait alignées les unes à côté des autres comme des sentinelles.

Ces cabanes étaient construites directement sur le sable, sans cave. Toutefois, de l'intérieur, on avait accès à un trou creusé sous la cabane, au moyen d'une trappe dans le plancher de la cuisine. C'est là qu'on déposait la nourriture pour qu'elle se conserve au frais—car il n'y avait alors ni glacière ni réfrigérateur.

Un soir de juillet 1892, par un temps très

calme—ce qui est assez rare aux Îles—et une chaleur suffocante, les pêcheurs se rassemblèrent dans une des cabanes pour y jouer une partie de poker. Ils avaient laissé dans une autre cabane un petit garçon de douze ans et sa cousine un peu plus jeune. Soudain, vers onze heures, alors que les enfants jouaient encore, la porte s'ouvre violemment, poussée par un coup de vent glacial. Puis, quelques madriers du plancher se soulèvent et vont frapper le plafond; le poêle qui était éteint s'allume et se met à danser sur le plancher; le chat, endormi dans un coin de la pièce, se réveille tout à coup, les poils tout hérissés et les griffes sorties, comme prêt à sauter sur quelque chose d'invisible. Un bruit de chaînes se faisait entendre et, en même temps, une tempête semblait faire rage dehors malgré le temps calme et le clair de lune. D'horribles cris d'animaux retentissaient au loin et des ombres se dessinaient sur les murs de la cabane, tandis qu'un sifflement aigu leur perçait les oreilles. Blottis dans un coin, les enfants, transis, étaient figés de peur: cette peur qui paralyse et empêche de faire le moindre geste ou même de crier.

Une demi-heure plus tard, tout était redevenu calme: la porte se referma d'elle-même et les madriers reprirent leur place sur le plancher. Le bruit cessa. Les deux jeunes enfants en profitèrent pour sortir en toute hâte de cette cabane hantée; ils coururent vers celle où étaient rassemblés les pêcheurs. Puis, blêmes comme des morts, les yeux exorbités, tremblant de tous leurs membres, ils racontèrent ce qui venait de se passer. Les hommes ne les crurent pas et continuèrent leur poker, se contentant de leur dire que c'était sûrement leur imagination qui leur avait joué un tour. Le petit garçon n'en parla plus; quant à la petite fille, elle mourut six mois plus tard, probablement des suites de cette peur affreuse. Dans l'obscurité, elle voyait des hommes étranges et des fantômes se promener autour de son lit. Des spectres la suivaient partout où elle allait. On a dit, par la suite, qu'elle était morte d'une sorte de maladie mentale.

Quand il fut parvenu à l'âge adulte, le survivant de l'aventure réfléchissait souvent à cette triste histoire. Essayant de comprendre le mystère de cette cabane, il conclut finalement qu'elle devait cacher un trésor. Par la suite, il partait parfois seul pour y faire des recherches; mais chaque fois qu'il approchait de cet endroit, il ne se souvenait plus de rien. On aurait dit qu'une force quelconque voulait l'empêcher de chercher davantage.

Il alla enfin trouver le curé et lui raconta son aventure. Le curé lui conseilla de ne plus jamais retourner à cet endroit parce que, croyait-il, les esprits qui le hantaient ne voulaient pas le voir dans les parages.

Cette histoire est authentique et celui qui l'a vécue est encore vivant.

La maison maudite

DEPUIS plusieurs années, des familles entières avaient habité cette maison. Mais, à peine ces familles étaient-elles installées que les enfants perdaient l'appétit et commençaient à dépérir. On remarquait tout d'abord leur pâleur, puis on s'effrayait de leur faiblesse. Enfin, les voyant sur le point de mourir, les parents se décidaient à aller demeurer ailleurs. C'est ainsi que plusieurs familles se succédèrent.

Je me disais qu'il y avait sûrement quelque chose d'anormal et de maléfique dans cette maison. Il me fallait absolument trouver la cause de ce mal qui attaquait les enfants.

A la suite du déménagement d'une de ces familles, je profitai du fait que la maison était inoccupée pour y passer la nuit. Arrivé vers dix heures, je m'installai dans la cuisine; assis sur une chaise, tout en fumant ma pipe, j'attendis... Dehors, c'était calme. Aucun bruit: on aurait dit que même les oiseaux fuyaient cet endroit maudit.

Vers minuit, j'entendis un tintamarre qui venait d'un coin de la cuisine dont les murs étaient en bois rond. Soudain, les pièces de bois commencèrent à bouger, à se tordre et à se détacher du mur. Une fois par terre, elles prenaient une forme humaine et se levaient. J'étais toujours assis sur ma chaise, n'osant bouger d'un poil. Les bois ronds, eux, continuaient à tomber. La cuisine se remplit de tous ces personnages mystérieux — hommes et femmes grimaçants — qui dansaient et gesticulaient en poussant des cris terribles. Aucun d'eux ne paraissait se rendre compte de ma présence. Je les observais toujours sans bouger. Soudain, je saisis un long bâton qui était à mes côtés, me levai, sautai au milieu de la place et frappai à droite et à gauche. A chaque coup que je donnais, je voyais les corps tombés par terre reprendre enfin leur forme de bois rond et se ranger d'eux-mêmes sur le mur de la cuisine.

Quand tout fut fini, l'horloge sonna deux heures. J'étais seul dans la cuisine: tout était redevenu normal. Le lendemain, j'invitai la famille récemment déménagée à revenir vivre dans cette maison — ce qu'elle fit. Peu de temps après, les enfants reprirent du poil de la bête: ils commencèrent à mieux manger et à être en meilleure santé. Par la suite, ils ne quittèrent jamais plus cette maison.

La mi-carême

LA mi-carême était une des fêtes les plus populaires aux Îles: c'était en quelque sorte le mardi-gras des Madelinots. Cependant, comme son nom l'indique, la mi-carême—contrairement au mardi-gras qui est célébré la veille du mercredi des Cendres—était fêtée au milieu du carême, permettant ainsi à l'estomac de récupérer. Quelque peu affaibli après trois semaines de jeûne, on sentait le besoin de manger un peu plus pour refaire ses forces.

Les festivités duraient parfois une semaine. Après avoir travaillé pendant des mois à fabriquer des déguisements tous plus drôles les uns que les autres—allant des têtes de boeufs ou de diables aux costumes en peaux de loups-marins—, on interrompait pour un jour ou deux la chasse aux loups-marins pour fêter la mi-carême.

Cette année-là, pour la mi-carême, on avait attelé un cheval à un canotte à glace (le canotte à glace était une chaloupe dont le dessous était muni de lames de fer qui lui permettaient de glisser facilement sur la neige ou sur la glace; on l'utilisait pour chasser le loup-marin sur la glace et pour traverser les saignées—étendues d'eau parmi les glaces, trop larges pour être sautées). Une fois le cheval attelé au canotte, on y avait fait embarquer huit femmes; les hommes marchaient à côté. Alors commença la tournée des maisons; tous s'étaient déguisés et avaient bien l'intention de célébrer la fête en buvant, en dansant et en flirtant à l'occasion. L'important était de ne pas être reconnu par ceux que l'on visitait.

Les prêtres des Îles qui, au cours de l'année, envoyaient en enfer tous ceux qui osaient danser, se montraient plus indulgents pendant cette période de festivités. Toutefois, l'interdiction de danser le dimanche demeurait, sous peine de commettre un péché mortel et de se voir refuser l'absolution.

Par un beau samedi soir, chez Alpide, pendant qu'on s'amusait et qu'on dansait, on ne s'apercevait pas que l'heure avançait et qu'il était minuit passé. Soudain, on frappe à la porte. La femme d'Alpide va ouvrir et aperçoit un beau jeune homme qui lui demande la charité. Elle devient blême comme une morte. Épouvantée, elle fait son signe de croix et s'écrie: «Alpide! viens vite, le diable est ici et il veut la charité. J'te l'avais bien dit de ne pas faire danser si tard...» Puis elle s'évanouit.

Or, le diable, qui n'était en fait que Marie Leblanc méconnaissable sous son déguisement, s'empressa de se défaire de son costume pour porter secours à la femme d'Alpide. Comprenant qu'elle aurait pu la faire mourir d'une syncope, elle s'excusa et promit de ne plus jamais jouer de tour semblable.

La petite barque

ELLE était bien petite, cette barque; elle ne jaugeait pas plus que quarante tonneaux. Un père et ses trois fils en composaient l'équipage. Ils en étaient très fiers. Leur barque pouvait faire face à n'importe quelle tempête, et on la voyait parfois, par grand vent et grosse mer, disparaître dans le creux de la vague et reparaître sur la crête. Quand le vent était trop fort, on baissait une partie des voiles pour la tenir à la cape. La plupart du temps, la barque servait à transporter des marchandises de la grande terre ou à pêcher—surtout le hareng, très abondant dans les baies au printemps.

On ridiculisait souvent son équipage, qui avait un grand sens de l'humour et riait souvent. «Où c'est que vous allez avec c't'écale de peanut-là? Vous finirez par vous noyer un beau jour!» A quoi on répondait: «Il y a pas mal de marins qui se noient avec des écales plus grosses, alors que nous, nous sommes toujours en vie. Il s'agit de connaître la mer et son bateau; et nous, la mer, on la connaît! »

Bien souvent, nous l'avons vue s'éloigner du quai de Cap-aux-Meules, toutes voiles déployées et gonflées par le vent du nord, puis fendre la vague et, sûre d'elle-même, mettre le cap sur la grande terre. Son équipage, à force d'amour et de caresses, pouvait facilement la manier et la contrôler, fier qu'il était de posséder sa propre barque. Le père et ses fils l'avaient construite amoureusement, de leurs mains, sur le bord du Grand-Ruisseau pendant l'hiver. Au printemps, quand les eaux furent gonflées, on la lança à l'eau comme si la mer n'avait été qu'une grande rivière. Au même moment, un bébé naissait dans la famille de l'équipage: c'était de bon augure pour l'avenir de la petite barque. Tout le monde était joyeux: une grande aventure commençait. Enfin, on allait être propriétaire de son propre bâtiment; on n'aurait donc plus à travailler pour les autres et, ainsi, les profits resteraient dans la famille.

Après le lancement, on organisa une grande fête sur le pont. Tous les voisins et amis y participèrent avec leurs instruments de musique; ils s'amusèrent et dansèrent jusqu'au matin. Le lendemain, après avoir passé toute la nuit à fêter, on se rendit tout de même à Cap-aux-Meules, on chargea la cargaison et on embarqua des provisions pour le premier voyage à la grande terre. Tout se passa normalement et l'on revint à bon port sain et sauf.

Les semaines suivantes, on continua à faire du commerce avec la grande terre, et cela dura jusqu'au mois de mai, alors que le hareng revient comme à chaque printemps et pullule dans la baie de Plaisance. Plusieurs bâtiments étrangers se trouvaient déjà dans la baie: quatre-vingt-cinq en tout, notamment des bâtiments américains de taille énorme comparativement à la petite barque, puisqu'ils jaugeaient plus de deux cents tonneaux alors qu'elle n'en faisait que quarante.

Les équipages de ces gros bâtiments se moquaient parfois, en passant devant la petite barque: «Quoi c'est que vous faites là, vous autres? Vous êtes tellement petits qu'on vous voit à peine. Vous risquez de vous faire couler.

—Faites-vous-en pas pour nous; on passera dans des endroits où vous ne pourrez pas passer parce que vous êtes trop gros», leur répondait le capitaine de la barque.

Il faut dire que, ce mois de mai-là, le hareng abondait dans la baie de Plaisance. Au clair de lune, on le voyait frétiller à la surface de la mer, projetant des millions de petites lumières. La baie en était remplie. Tous les pêcheurs pensaient que leur rêve allait se réaliser et qu'ils feraient fortune.

Mais une nuit, vers deux heures du matin, le vent vira brusquement de bord: du nordet qu'il était, il vira au sud-est et, en l'espace d'une demi-heure, prit l'allure d'un véritable ouragan. Les gros bâtiments étaient projetés les uns contre les autres et les mâts se brisaient comme des allumettes. Puis, on entendit un fracas assourdissant: c'étaient les ancres qui s'accrochaient. Tous les équipages furent pris de panique. Quelques-uns tentèrent tant bien que mal de se mettre à la cape pour affronter la tempête; d'autres partirent à la dérive vers la côte, où ils s'éventrèrent. Les hommes s'aarrachaient les cheveux, craignant de tout perdre, sauf leur vie. Leur grand rêve était à l'eau!

L'équipage de la petite barque voyait les gros bâtiments arracher leur ancre et, poussés par l'ouragan, aller se disloquer sur la côte du Havre-aux-Maisons ou de l'Anse chez Louis. Tous les gros bâtiments y passèrent. La tempête calmée, on ne vit plus que la petite barque dans la baie. Elle seule avait pu résister à l'ouragan. Rassuré, l'équipage revint paisiblement au quai de Cap-aux-Meules pour y décharger se cargaison de hareng.

Le lendemain, au magasin général, on pouvait voir les pêcheurs américains, la mine basse, affligés d'avoir tout perdu. Ce fut au tour de l'équipage de la petite barque de se moquer des Américains: «Vos grosses écales de peanuts sont sur le bord de la côte, éventrées, hein? La nôtre est petite mais elle a été épargnée! Ça valait bien la peine d'être gros!»

La Soquem et les lutins

«T'AS vu, Amiak? Regarde tous ces étrangers qui viennent de débarquer sur les îles avec toutes sortes de gréements. J'me demande bien ce qu'ils peuvent venir faire ici. R'garde-moi donc toute cette grosse machinerie. Tiens, c'est du monde qu'on a jamais vu avant. R'garde, il y en a un qui donne des ordres; on dirait que c'est leur chef.

—Si tu veux, Nitul, on va les suivre pour savoir où ils vont.»

Nitul et Amiak montent donc dans la voiture occupée par les étrangers, sans que ceux-ci s'en aperçoivent. L'auto se dirige vers Havre-Aubert. Les deux intrus écoutent les étrangers parler entre eux. «Si on n'a pas la peine de creuser trop profond pour exploiter la mine, dit l'un d'eux, ça ne coûtera pas trop cher et on va faire de l'argent en masse.» Nitul et Amiak se regardent d'un air étonné et se disent, dans un langage silencieux qu'est celui des lutins: «Ils ont peut-être découvert une mine d'or ou de charbon.» On arrive à Havre-Aubert, on décharge tout l'équipement, et les étrangers commencent à creuser. Les lutins s'attendent à voir apparaître de l'or. Mais au lieu de l'or, c'est une substance blanche que l'on recueille. Alors, Amiak dit à Nitul: «C'est une mine de sucre!

—Mais non, c'est pas du sucre, c'est du sel», dit l'autre.

Des semaines, des mois et des années passèrent. La bande de lutins restait autour des ingénieurs de la Soquem, pour se tenir au courant. A vrai dire, ces lutins n'appréciaient guère de voir tous ces étrangers envahir leur territoire. Mais que pouvaient-ils contre tous ces humains? Pas grand-chose.

Un jour que les lutins assistaient, invisibles, à une conversation dans le bureau du président, ils entendirent des secrets à leur faire dresser les cheveux sur la tête. On avait inventé une patente pour harnacher le vent et produire du courant électrique à bon compte. «L'électricité? se dirent les lutins; il fera donc plus clair la nuit que le jour. On ne pourra plus venir ici. Quand ça fonctionnait avec des dynamos à l'huile, des pannes d'électricité se produisaient parfois l'hiver; elles duraient des fois deux ou trois jours. On avait alors la chance de venir voir les chevaux, pendant qu'il faisait noir.

Astheure que la Soquem a inventé sa maudite patente à vent, on n'aura plus la chance de venir, parce qu'il n'y aura plus de panne d'électricité et que les gens pourraient nous voir.» Les lutins décidèrent donc de partir pour leur royaume.

Cinq ans plus tard, Nitul revint aux Îles avec sa bande. Ils trouvèrent tous qu'il faisait beaucoup trop clair la nuit et que cette clarté-là les aveuglait. Beaucoup de choses avaient changé en cinq ans. Il leur semblait, entre autres, que l'air y était plus pur et qu'ils pouvaient mieux respirer. Au fond, ce n'était pas aussi terrible qu'ils l'avaient imaginé. Ils arriveraient bien à trouver un petit coin où se cacher; le bois est assez épais dans les buttes. Et puis, les Madelinots ne se lamenteraient plus du coût trop élevé de l'électricité; ils l'avaient maintenant presque pour rien.

Nitul et les siens entrent dans une étable. Mais il fait trop clair, on ne voit presque rien. Amiak tient la porte de l'étable ouverte pour laisser entrer les autres. Une fois dans l'étable, ils s'occupent de faire manger le cheval, de le brosser et de tresser ses crins. Trop occupés à travailler, ils n'ont pas remarqué le cultivateur qui vient d'entrer pour soigner ses animaux. En allumant la lumière, il les aperçoit. «Ah! ben Godême! c'est vous autres qui venez déranger mes animaux!» Saisis, les lutins se sauvèrent dans toutes les directions en butant contre les murs, et ils disparurent dans tous les recoins. La lumière les avait aveuglés. Seul le vieux Nitul eut un peu de difficulté à trouver une ouverture et à disparaître.

Rendu sous l'étable, il réussit à rassembler toute la bande et leur dit: «Cachons-nous dans le bois touffu, en arrière de l'étable, en attendant qu'il parte.» Plus tard, ils revinrent à l'étable pour y finir le travail commencé. Mais le cultivateur était parti en laissant la lumière allumée. Or, cette lumière produite par les moulins à vent était beaucoup plus forte que l'ancienne. Et si le cultivateur l'avait laissée allumée, c'est parce que l'électricité ne lui coûtait plus très cher. Impossible pour les lutins de travailler à l'aveuglette; il faisait beaucoup trop clair. On remit le travail à la nuit suivante, espérant que la lumière serait alors éteinte. Ils revinrent à la nuit pour constater que la lumière brillait toujours. Le cultivateur ne voulait probablement pas que les lutins viennent déranger ses animaux. On changea donc d'étable, avec regret, et l'on en choisit une autre où il n'y avait pas d'électricité. Là, enfin, on pouvait travailler à l'aise, sans se faire aveugler par les lumières de la Soquem...

La trombe

C'ÉTAIT vers le début de juillet, au temps des canicules. Depuis une semaine, il faisait une chaleur torride accompagnée d'un vent chaud qui soufflait du sud. La sécheresse se faisait sentir, et l'herbe brûlée par le soleil et le vent avait pris une teinte brunâtre. A la suite d'une mauvaise récolte de foin, on s'inquiétait et on se demandait comment on arriverait à nourrir les animaux au cours de l'hiver.

C'étaient des pêcheurs, mais chacun cultivait quand même son petit lopin de terre et élevait des animaux, ce qui lui permettait de vivre un peu plus à l'aise. Les revenus de la pêche variaient beaucoup d'une année à l'autre; il y avait des années qui ne rapportaient pas grand-chose. Ce n'était pas le poisson qui manquait; mais le prix qu'on en obtenait était parfois dérisoire — il arrivait même qu'il descende à un quart de cent la livre. C'est dire l'énorme quantité qu'il fallait pêcher pour survivre.

Tous les pêcheurs étaient exploités à gauche et à droite, avec la bénédiction des gouvernements d'alors. Le pauvre petit pêcheur ne pouvait rien faire pour se défendre car il n'avait personne pour le représenter auprès des gouvernements. De plus, la plupart d'entre eux étaient mal informés ou pas informés du tout, ce qui les rendait souvent trop naïfs. Quiconque venait de l'extérieur et savait bien parler pouvait leur faire croire à peu près n'importe quoi.

Un beau matin, pendant cette période de chaleur torride et de vent qui depuis deux semaines venait toujours de la même direction, Éphrem se leva de bonne heure, réveilla sa femme Martha et ses deux fils et leur dit: «Ce matin, c'est le temps d'aller à la pêche.» Il était quatre heures à peine et une brume épaisse flottait encore au-dessus de la mer. Une autre journée qui s'annonçait très chaude.

Martha prépara le goûter de ses hommes, qui consistait en une pleine chaudière de tourteaux doux et trois bouteilles de thé. Comme ils s'apprêtaient à sortir, Martha leur dit: «Faites attention à vous, mes hommes, et surtout n'allez pas trop loin au large. Le temps a l'air drôle et la tempête peut prendre tout d'un coup. Ça fait trop longtemps qu'on a pareille chaleur et du vent du sud. On aura sûrement encore des éloises et du chalin.» Inquiète, elle referma la porte.

Éphrem et ses deux fils se dirigèrent vers le quai où était amarré leur bateau. Ils étaient joyeux, assurés de faire une bonne pêche. Ils larguèrent les amarres et partirent vers le large. La mer était calme et lisse comme un miroir, sans un souffle de vent. On pouvait voir les pourcis qui suivaient le bateau de près, tout en sortant de l'eau comme des danseurs de ballet aquatique. Au loin, on pouvait voir une baleine rsoudre des profondeurs de la mer en soufflant son jet d'eau.

Rendus à environ cinq milles du port, Éphrem et les siens mirent tous les hameçons à l'eau. Ils attendirent des heures sans faire la moindre prise. La pêche ne serait pas bonne aujourd'hui, se disaient-ils. Tout à coup, Marcel, le plus vieux des fils d'Éphrem, vit au loin une grosse colonne d'eau qui s'élevait de la mer jusqu'au ciel. «Regardez ça!» cria-t-il aux autres. La colonne venait vers eux à une vitesse effrayante. Éphrem et ses fils, pris de panique, commencèrent à prier la Sainte Vierge et à réciter leur chapelet. Tout en priant, ils remarquèrent que la trombe aspirait quantité de poissons en l'air. Puis, soudain, la colonne d'eau s'arrêta à cinquante pieds d'eux. Ils crièrent au miracle. Mais, en réalité, le miracle allait se produire peu après. En effet, deux minutes plus tard, les poissons capturés par la trompe d'eau commencèrent à tomber dans le bateau d'Éphrem. Au bout de dix minutes, l'embarcation était remplie jusqu'au bord. On réussit, tout en marchant dans cette masse visqueuse, à appareiller vers le port. Il fallait s'éloigner au plus vite, car la pluie de poissons tombait toujours dans le bateau, qui commençait à donner de la bande.

On se dirigea droit vers le quai où des gens, tout étonnés de voir Éphrem arriver si tôt avec un bateau aussi chargé, lui demandèrent: «Comment avez-vous fait pour pêcher tant de poissons en si peu de temps?» Il leur répondit: «C'est à cause de la trombe.» Mais personne ne comprit très bien, car ce n'est tout de même pas tous les jours qu'une trombe remplit un bateau de poissons.

Le bon docteur Solomon

ON était en pleine crise économique, celle de février 1936, alors que sévissait un des pires hivers jamais vus de mémoire d'homme aux Îles-de-la-Madeleine. Un hiver dur, comme disaient les Madelinots qui s'inquiétaient de voir tomber tant de neige. Le vent, qui soufflait continuellement, avait formé des bancs de neige d'une hauteur atteignant jusqu'à vingt pieds, faisant souvent disparaître fenêtres et portes des maisons.

Ce soir-là, il faisait un froid de loup. Les vitres des fenêtres étaient blanches de gelée où des fleurs de toutes formes se dessinaient. Sur les murs de la maison, les clous recouverts de givre prenaient des formes inusitées. Le poêle à bois ne dérougissait pas, mais il ne parvenait pas pour autant à réchauffer toutes les chambres de la maison; seule la cuisine était suffisamment chaude. C'est dans cette unique pièce chauffée que les neufs enfants de la famille se tenaient, pressés près du poêle pour mieux en absorber la chaleur.

Alice, la mère, était restée au grenier, dans la chambre du côté nord. Couchée sur son lit, elle attendait les premières douleurs de l'accouchement. Henri, son mari, marchait de long en large dans la chambre, rongé d'inquiétude à l'idée que sa femme était sur le point d'accoucher et qu'il n'y avait ni sage-femme ni docteur dans le canton de Grand-Ruisseau; l'unique médecin habitait Lavernière, soit quatre milles plus loin.

La tempête faisait rage dehors et la neige s'accumulait le long de la maison. Les chemins étaient bloqués et aucun cheval n'aurait osé s'y aventurer. Henri, découragé, se laissa tomber sur une chaise dans le coin de la chambre à coucher et se prit la tête à deux mains. Que faire? Il se rappelait que les derniers accouchements d'Alice avaient été très durs, surtout le dernier où elle avait failli y rester. Mais avec une tempête pareille, comment pouvait-il aller chercher le médecin? La famille d'Henri, comme bien d'autres à l'époque, n'avait pas le téléphone. Après avoir longuement jonglé sur sa chaise, il eut une idée. Il se dit que, si les chemins étaient bloqués et que les chevaux ne pouvaient pas passer, la neige était sûrement assez dure pour supporter des chiens — et un de ses frères possédait justement deux chiens domptés et une tabagane. Sans perdre de temps, il se rendit chez lui pour lui demander de lui prêter ses chiens. L'autre accepta tout de suite. Henri revint à la maison et dit à la plus âgée de ses filles: «Veille sur ta mère. Je vais aller chercher le docteur.» Il sortit, attela les deux chiens à la tabagane et partit. Il préféra prendre un raccourci plutôt que de suivre le chemin public. Il traversa donc les rangs clos, puis les sous-bois, pour arriver enfin chez le gros docteur. Les chiens étaient tout essoufflés, la langue pendante. Il frappa. Bientôt, il vit apparaître dans l'embrasure de la porte le visage jovial et bon enfant du docteur Solomon. Cet homme qui souriait toujours n'aurait jamais refusé d'aller visiter un malade, même par mauvais temps. Ni la tempête, ni la distance, ni l'heure ne pouvaient l'arrêter. C'était un médecin de campagne bon et honnête, qui se donnait corps et âme au service de la population et qu'aucun effort ne rebutait quand il s'agissait de ses malades.

En voyant Henri, il lui dit: «Encore un autre qui s'en vient? Attends un peu, je vais m'habiller.» Il s'habilla chaudement et s'installa sur la tabagane avec tout son nécessaire de médecine. Ils prirent le chemin du retour. Henri courait derrière tout en tenant les guides. Le bon docteur lui cria: «Inutile de t'inquiéter, la nature prend soin de ses enfants.

—Vous savez qu'à son dernier enfant, elle a failli mourir!

—T'inquiète pas, on sera là à temps», reprit aussitôt le docteur.

La tempête faisait rage avec un vent du nord-est et une température de cinq degrés. On ne voyait ni ciel ni terre, de sorte qu'Henri finit pas s'égarer. Il essaya bien de suivre ses propres traces, mais la neige les avait presque complètement effacées. Il laissa alors les chiens retrouver leur chemin tout seuls. A courir ainsi, Henri était épuisé. Sa salive coulait sur sa longue barbe, formant des petits glaçons qui lui donnaient l'air d'un monstre.

On arriva finalement à la maison. Le docteur Solomon s'empressa auprès de la mère. Au bout de deux heures à peine, Alice donna naissance à un gros garçon de dix-huit livres et demie. Grâce à la vigilance du bon docteur Solomon et au flair des deux chiens fidèles, Alice et son bébé étaient maintenant hors de danger.

Le charmeur de rats

LA grange à Narcisse était infestée de rats. Des rats énormes comme on n'en avait jamais vu auparavant. Narcisse était découragé. Il constatait que ces rongeurs mangeaient tout son grain et creusaient de véritables labyrinthes sous sa grange. Il déplorait d'autant plus cette situation que sa grange menaçait déjà de s'effondrer à chaque coup de vent.

Des voisins lui conseillaient toutes sortes de trucs pour se débarrasser de ces rats maudits. Tanné de voir tant de rats autour de la grange, un beau jour il s'arme d'un fusil et essaie d'en tuer le plus possible. A la fin de la journée, le mur de la grange ressemblait à une passoire... mais pas un seul rat de tué!

Comment faire pour exterminer ces milliers de rats qui lui mangeaient tout son grain? De temps en temps, des têtes apparaissaient à la surface et regardaient Narcisse avec l'air de dire: «Tu nous auras pas, on est ici chez nous.»

Une nuit, alors qu'il était couché, il entendit des cris de mort venant du côté de la grange. Il se leva en vitesse, s'habilla, décrocha son fusil du mur et sortit de la maison. Quelle ne fut pas sa stupéfaction en apercevant son chien labrador étendu mort par terre, en train de se faire dévorer par les rats. Il revint se coucher en se promettant bien de trouver une solution efficace pour se débarrasser d'eux le plus tôt possible.

Le lendemain matin, à son réveil, il se souvint d'un vieux bonhomme appelé Louis, qui habitait sur les Caps et qui disait connaître un moyen de chasser les rats. Sans perdre de temps, il alla le trouver et lui fit part de son problème. Le vieux Louis lui dit: «Oui, je peux sûrement te débarrasser des rats! Je serai chez toi demain matin avant le lever du soleil, car les rats ne sortent que la nuit.»

Le lendemain, avant l'aurore, il était au rendez-vous avec son violon. Il s'assit sur une bûche et commença à jouer des airs endiablés. Au bout d'une dizaine de minutes, les rats commencèrent à se montrer la tête hors de leurs trous en poussant de petits cris aigus, comme s'ils avaient été charmés par cette musique envoûtante. Le vieux dit à Narcisse: «Bouge pas! Ils vont tous sortir.» En disant cela, il se lève et, sans cesser de jouer du violon, se dirige vers le chemin et file tout droit en direction de l'Anse chez Louis. Les rats le suivirent quatre par quatre, comme une armée marchant au pas. Narcisse les compta; il y en avait exactement 2 526. Il ne devait plus en rester un seul sous la grange.

Quand le violoneux et sa suite arrivèrent à l'Anse chez Louis, la marée était basse. Le vieillard tourna vers la gauche, entraînant les rats sur le sable mou et humide de la grève. Les pistes du charmeur de rats se dirigeaient vers le pont du Havre-aux-Maisons. La marée avait commencé à monter; Louis avait maintenant de l'eau jusqu'à la ceinture. Il jouait toujours du violon. Quand il se retourna enfin, il vit tous les rats qui flottaient le ventre en l'air à la surface de la mer, tous noyés. Il retourna chez Narcisse pour lui annoncer qu'à l'avenir il n'y aurait plus de rats chez lui.

C'est à la suite de plusieurs exploits du genre qu'on appela le vieux Louis le charmeur de rats.

Le chien Mickey

TÔT ce matin-là, plusieurs membres de l'escouade de David partaient pour la chasse aux loups-marins. Le chien Mickey les accompagnait. Ce gros labrador tout noir, intelligent et, de plus, très affectueux ne ratait jamais l'occasion de suivre son maître. Faisait également partie de l'équipement un canotte à glace, en prévision des saignées qu'on rencontrerait parmi les glaces et qu'il faudrait traverser.

Après avoir marché un bon cinq milles, on aperçoit tout à coup, en arrière d'un débarrit, une mouvée pour ainsi dire à la portée de la main. Les chasseurs étaient contents. Enfin, ils allaient pouvoir chasser des loups-marins et en rapporter les peaux à la maison, pour les vendre par la suite et se faire un bon profit.

A la fin de la chasse, vers le soir, on décide de retourner à terre avec le canotte à glace chargé jusqu'au bord. Sur le chemin du retour, on rencontre une saignée large de cent pieds. Prudemment, on met le canotte à l'eau pour la traverser. Arrivé de l'autre bord de la saignée, on se rend compte, mais trop tard, qu'on a oublié le chien Mickey. Impossible de retourner pour le chercher, car le vent s'était élevé soudain et avait viré de bord, poussant les glaces plus loin vers le large. La saignée s'élargissait toujours et le pauvre Mickey, désespéré, aboyait et hurlait de toutes ses forces. Cinq milles plus loin, on pouvait voir un bateau terre-neuvien dont l'équipage était en train de chasser en plein dans la mouvée. On vit le chien, haletant, se diriger droit vers le bateau et disparaître parmi les loups-marins. On se consola en se disant qu'il était sauvé, puisque l'équipage de ce bateau allait sûrement l'emmener. On revint chacun chez soi, essayant de ne plus penser au chien Mickey et souhaitant qu'il soit bien traité.

Deux ans plus tard, David, le maître de Mickey, dut se rendre à Halifax pour affaire. Alors qu'il se promenait sur le quai où étaient amarrés des bateaux de pêche, il vit venir vers lui un gros chien noir. Croyant avoir affaire à un chien enragé, il eut d'abord peur; mais plus il approchait, plus la bête paraissait inoffensive. Tout à coup, un cri lui échappa: «Mickey!» Il avait reconnu son chien perdu sur les glaces deux ans auparavant. Sans perdre de temps, il alla voir le capitaine du bateau et lui dit: «Le chien que vous avez à bord est à moi et je veux l'acheter.» Il lui raconta son aventure vécue sur les glaces deux ans plus tôt. Le capitaine vit que l'étranger disait vrai parce que le chien semblait lui être attaché. Il lui dit alors: «Ton chien, tu peux le garder; je ne veux pas d'argent. Mais prends-en bien soin, c'est un bon chien!» Et David, heureux, partit avec Mickey pour les Îles-de-la-Madeleine.

Quand ils virent David débarquer de son bateau avec Mickey, ses enfants qui les avaient aperçus à travers la fenêtre de la maison crièrent à leur mère: «Maman, maman... papa arrive avec un beau gros chien noir.» Et ils coururent à leur rencontre. Le chien, que le maître tenait avec une corde, donna un grand coup et cassa sa laisse en reconnaissant les enfants. Il courut droit vers eux en aboyant joyeusement et en fortillant de la queue.

Les jours suivants, Mickey se promena de l'étable où il était né à la maison où il avait grandi; il visita même les voisins qu'il avait déjà connus. Plusieurs années après son retour, il sauva la vie du petit Denis qui allait se faire encorner par un boeuf furieux. Avec l'âge, il devint aveugle; mais son maître l'aimait trop pour mettre fin à ses jours, et il le garda jusqu'à ce qu'il meure de sa belle mort.

On le trouva mort un beau matin, étendu près des animaux. On l'enterra près de l'étable et on lui fit un petit monument en bois sur lequel on inscrivit:

> Ci-gît le chien Mickey
> Reconnu pour son amitié
> Il risqua sa propre vie
> Pour sauver celle du petit Denis.

Le don Juan des Îles

SANS être le plus bel homme des Îles, Roméo en était le don Juan incontesté. Il n'était pas très beau, certes, mais il possédait par contre le don de plaire aux femmes. Il était d'assez grande taille, et son visage semblait taillé à la hache; un énorme nez occupait trop de place dans son visage et ses yeux, trop petits, brillaient d'un éclat mystérieux. Le tout était couronné de beaux cheveux noirs frisés. Il savait regarder les femmes et leur parler avec tant de séduction qu'aucune d'elles ne parvenait à lui résister.

De plus, il était très riche, ce qui ne lui nuisait sûrement pas. Fils unique du marchand général du village, il pouvait obtenir de son père tout ce qu'il désirait. Les plus beaux et les plus fringants chevaux des Îles lui appartenaient, et quand Roméo arrivait en trombe à Cap-aux-Meules, personne ne pouvait s'empêcher de l'admirer.

Pour Roméo, la vie était belle et les femmes,

des proies faciles. Elles soulevaient le coin du rideau de leur chambre à coucher et le regardaient passer, souhaitant en secret de se retrouver dans les bras de cet homme élégant. Elles rêvaient à son sourire moqueur et arrogant qui le faisait détester des hommes du village. Ils étaient jaloux de lui, évidemment; ils auraient bien voulu être à sa place. Plusieurs auraient même aimé le voir disparaître. Mais comment pouvaient-ils s'en débarrasser? Deux d'entre eux, Jacques et François, décidèrent de lui tendre un piège pour au moins lui donner une bonne leçon; on en reparlera plus loin.

Cherchant toujours à augmenter le nombre de ses conquêtes, Roméo avait inventé un petit stratagème qui lui permettait de séduire plus facilement les femmes et de s'attirer leurs bonnes grâces. Lors d'un voyage à Montréal, il s'était fait fabriquer, en imitation d'or, un bon nombre de médaillons munis d'une chaînette. Les médaillons portaient l'inscription suivante: «A mon fils bien-aimé Roméo... de ta mère». Chaque fois qu'il faisait la connaissance d'une fille, il l'entraînait sur la dune de Havre-aux-Basques. Quand ils étaient étendus tous les deux sur le sable, il la regardait de ses yeux pétillants et, lui passant la chaînette autour du coup, il lui disait d'une voix tendre: «Tiens, prends ça, c'est un cadeau que m'a fait ma mère avant de mourir. Je te la donne en gage de mon amour!» La fille, ravie, croyait alors qu'il n'aimait qu'elle au monde; et elle se laissait finalement séduire. Il éprouvait beaucoup de fierté de ses nouvelles conquêtes, mais il ne s'en vantait pas toujours, craignant que certaines d'entre elles ne se rencontrent et ne découvrent son manège. Il en séduisit bien une vingtaine de la sorte.

A une soirée de mi-carême, une jeune fille ne put résister à l'envie de montrer son médaillon à une amie: «R'garde, Julia, c'que le beau Roméo m'a donné en gage de son amour.» Étonnée, l'autre lui dit: «Comment, c'est Roméo qui t'a donné ça? Il m'en a donné une pareille la semaine passée. Ah! le Godêche! C'est dire que je n'suis pas la seule, et qu'on est peut-être pas les seules; il a sûrement dit la même chose à d'autres.» Julia raconta cette aventure à son frère Jacques, qui n'attendait que cette preuve pour exécuter le plan ourdi par lui et son ami.

Ils organisèrent une rencontre entre une nouvelle fille et Roméo. Comme il l'avait fait pour les autres, Roméo tenta de la séduire. Pendant qu'ils étaient étendus dans un sous-bois, sur une des buttes de la Belle-Anse, il raconta à Maria sa petite histoire, avec des yeux langoureux. Comme il s'apprêtait à lui passer la chaînette autour du cou, il entendit une voix de femme, venant du faîte de la butte: «Traître! tu as menti à toutes ces pauvres jeunes filles!» Roméo fut saisi, au point qu'il ne prit pas le temps de s'habiller. Il laissa là la jeune fille et se sauva en courant, persuadé que c'était la voix de sa mère qu'il avait entendue. Assez satisfait de ses talents d'imitateur, Jacques sortit du bois, suivi de son compagnon. Les deux amis riaient à gorge déployée en descendant la butte de la Belle-Anse. Quant à Maria, elle fut la dernière fille que le don Juan des Îles essaya de séduire.

Le halage de maison

JEAN-LOUIS et Mathilda formaient apparemment un couple très uni. Mariés depuis une douzaine d'années, ils avaient sept enfants. Leur maison était bâtie à proximité de celle du père de Jean-Louis et de celle d'un oncle qui avait plusieurs fils. Un de ceux-ci, David, était encore célibataire; c'est pourquoi on l'appelait «le vieux garçon». Tous les printemps, il partait pour aller travailler sur la Côte-Nord, dans les moulins à papier; il revenait à l'automne, le portefeuille rempli de belles piastres.

Jean-Louis et Mathilda possédaient plusieurs animaux, dont quelques vaches qui leur donnaient beaucoup de lait. Tous les matins, quand les enfants étaient partis à l'école et son mari à la pêche, Mathilda se rendait à l'étable pour tirer ses vaches. La vie s'écoulait paisiblement pour Mathilda. Cependant, il y avait une ombre au tableau: Jean-Louis ne la comblait pas sur le plan sexuel.

C'est pourquoi il lui arrivait souvent de rêver, même en plein jour, aux beaux hommes du canton — en particulier à son cousin par alliance, le beau David, qui ne manquait jamais une occasion de flirter avec toutes les belles femmes de l'endroit.

Pour David, la vie était belle. Libre comme l'air, n'ayant de compte à rendre à personne, il pouvait se permettre de faire l'amour à son gré, quand les maris étaient partis à la pêche ou ailleurs. On racontait même que plusieurs enfants du canton lui ressemblaient. Était-ce une coïncidence, ou seulement des commérages? Il reste que, dans certains cas, la ressemblance était tellement marquée qu'elle risquait de mettre la puce à l'oreille aux intéressés.

Un jour, Jean-Louis partit chercher un voyage de foin à Havre-Aubert. Le soir venu, comme il n'était pas encore rentré, Mathilda alla tirer ses vaches à l'étable. David, qui depuis plusieurs jours surveillait les allées et venus de Mathilda, sortit de chez lui et se dirigea furtivement vers l'étable. Il ouvrit la porte et aperçut Mathilda en train de tirer une vache. Lentement il s'avança vers elle, lui caressa les cheveux, puis les seins. Mathilda frémit d'abord, puis elle tomba en extase, à la renverse, allumée par ces caresses. Étendus sur un tas de foin, ils connurent des moments inoubliables. Mais la soeur de Jean-Louis, qui avait tout vu de la fenêtre de sa maison, sortit et courut à l'étable. Tout doucement elle ouvrit la porte et aperçut Mathilda à moitié nue faisant l'amour avec David, les siaux de lait presque vides abandonnés sous le pis de la vache.

Surpris et honteux d'avoir été pris en flagrant délit, David et Mathilda se relevèrent prestement. Et la soeur de Jean-Louis, furieuse de savoir son frère cocu, leur hucha: «Ah! c'est ça que tu fais quand Jean-Louis n'est pas là! Ça ne restera pas comme ça.» Elle courut ensuite annoncer la nouvelle que Jean-Louis était fait cocu par le cousin David. Ses parents furent les plus surpris d'apprendre la nouvelle. Les jours suivants, ils organisèrent un conseil de famille et décidèrent de transporter la maison de Jean-Louis et Mathilda sur un terrain appartenant au père de Jean-Louis, situé à plusieurs milles de distance. Là, au moins, se disait-on, Mathilda serait loin de son cousin David.

Dès le dimanche, on avertit tous les gens du canton rassemblés sur le perron de l'église qu'il y aurait, le mardi suivant, un «halage de maison». C'était tout un événement, surtout à cette période de l'année—ces longs mois de froidure où s'installent la monotonie et l'ennui. Le mardi, un groupe de gens du canton arrivèrent chez Jean-Louis. On installa des amarres autour de la maison, puis on disposa des billots pour permettre à la maison de glisser. Tous s'agrippèrent aux amarres et le halage commença. Ce n'était pas facile de haler une maison à bras d'hommes. On réussit à la faire avancer pouce par pouce. Après trois jours, la maison était rendue à l'endroit indiqué. On l'installa sur son fondement, après quoi on répara les dommages causés par le halage.

Un mois plus tard, en examinant les documents, on s'aperçut que le terrain où était maintenant située la maison de Jean-Louis n'appartenait pas, en fait, au père de Jean-Louis, mais bien à son oncle, les papiers d'héritage n'ayant pas été notariés au moment opportun. Alors, on dut haler de nouveau la maison de Jean-Louis à l'endroit qu'elle occupait auparavant. Mathilda ne demandait pas mieux; elle était au comble de la joie. Désormais, elle vivrait tout près de son amant. Quant à Jean-Louis, il resterait, hélas, éternellement cocu.

Le monstre de la Pointe-aux-Loups

DEPUIS une semaine, on pouvait voir des pistes étranges sur le sable de la dune du nord. Elles étaient apparues à la suite d'une tempête de sable qui avait duré deux jours. Il faut dire que l'île de la Pointe-aux-Loups est située en plein milieu de la dune, avec la mer des deux côtés. Le sable s'était accumulé à certains endroits pour former des buttereaux.

Ces pistes sortaient de la mer et se rendaient jusqu'aux maisons, pour ensuite retourner à la mer. Elles étaient énormes, mesurant pas moins de treize pouces de long sur six pouces de large.

Tous les gens de l'île étaient terrifiés et intrigués à la fois. Les pistes découvertes avaient la forme d'une énorme main humaine, composée de six doigts et dépourvue de pouce. Les plus impressionnables disaient que c'était le diable qui venait visiter les gens de la Pointe-aux-Loups. Mais pourquoi eux? Ils n'étaient pourtant pas plus méchants que ceux d'ailleurs.

Le soir venu, les femmes gardaient leurs enfants à la maison et barricadaient les portes. Les hommes, eux, faisaient le guet, armés jusqu'aux dents et tremblants de peur. Par beau temps comme par mauvais temps, ils passaient la soirée à la maison sans sortir. Or, c'était les soirs de mauvais temps que les pistes apparaissaient sur la dune; c'est pourquoi ils manquaient toujours le monstre.

Un soir de tempête, alors que Nathaël était à la maison, sa femme Marie crut entendre du bruit à l'extérieur et lui dit: «Nathaël, j'ai entendu du train autour de la maison. J'suis sûre que c'est le monstre.

—Non, non, qu'il lui dit, c'est pas le monstre, c'est peut-être ben un chien qui rôde.»

Mais Marie insistait: «J'te dis que c'est le monstre. Va voir!

—D'accord, dit-il, si ça peut te rassurer, j'vas y aller.»

Nathaël prit donc son fusil, sortit, fit le tour de la maison... et v'là qu'il aperçut des pistes fraîches venant de la mer et se rendant jusqu'à la fenêtre de la maison. Alors, dans l'obscurité, à la pluie battante, tenant dans une main son fusil et dans l'autre sa lampe de poche, il suivit les pistes du monstre qui allaient vers la mer, en contournant les buttereaux formés après la tempête. Un moment, il crut apercevoir une ombre dans l'obscurité; mais il ne vit rien de précis.

De retour à la maison, pour rassurer sa femme, il lui déclara qu'il n'avait rien vu. Gardant son fusil à son chevet, au cas où le monstre reviendrait, il se coucha enfin—mais sans fermer l'oeil de la nuit. Mais le monstre ne se manifesta plus.

Le lendemain matin, la femme de Cléophas, leur voisin, arrive toute essoufflée à la maison, blême comme une morte, et leur dit: «Mon Cléophas est disparu. Il n'est pas rentré pour coucher hier soir, ça lui est jamais arrivé en vingt ans de mariage. Je commence à être pas mal inquiète. Je m'demande si...

—Si quoi? Si quoi? Insiste Nathaël.

—Ben... si tout d'un coup, ajoute-t-elle craintivement, il avait rencontré le monstre, et que le monstre l'ait mangé...» Et Nathaël, plaisantant pour cacher son trouble, lui dit avec un sourire: «Ça serait dommage pour le monstre, parce que je suis sûr qu'il serait mort d'une indigestion. Cléophas doit être pas mal dur à digérer!

—Arrête donc de faire des folies, c'est sérieux c't'affaire-là! reprit-elle. C'est vrai qu'il prend un coup de temps en temps, mais pas assez pour s'écarter.»

Nathaël s'empresse de la rassurer: «Tu sais bien, Rita, que j'disais ça pour rire. On sait même pas si c'est un monstre; personne ne l'a jamais vu.» Aussitôt, Nathaël se prépare à sortir. Il va chercher tous les voisins pour leur annoncer la disparition de Cléophas, puis on se met à sa recherche.

On fouilla partout, jusqu'à la Grande-Entrée en passant par la Grosse-Île: dans les sous-bois, autour des buttereaux et même dans les fentes des rochers. On explora aussi la dune de long en large, là où on pouvait voir les pistes du monstre. Toujours pas de Cléophas! La troisième journée, Nathaël eut une idée. Il y avait une vieille épave sur la côte, tout près de l'Île; et Cléophas, quand il prenait un coup, aimait s'y réfugier pour contempler la mer. Nathaël s'y rendit. Comme il s'y attendait, en contournant l'épave, il aperçut Cléophas en train de se chauffer au soleil et de prendre un coup, avec deux cruches de vin à ses côtés.

«Ah ben! te v'là, toi! Quoi c'est que tu fais là? Ça fait trois jours qu'on te cherche! Rita pensait que le monstre t'avait mangé!» Cléophas se leva péniblement. Il pouvait à peine se tenir debout. Il réussit enfin à marmonner: «Le monstre? Quel monstre? J'ai pas vu de monstre. Mais la nuit passée, il y a un gros loup-marin qui est venu ici et qui rôdait alentour de moi en me r'gardant et en pleurant comme s'il avait voulu dire quelque chose.

Il m'a réveillé et s'en est retourné à la mer.» Et Nathaël de soupirer: «Ah! ça parle au Godême! C'était donc ça!... Un vieux loup-marin!»

La source du petit bon Dieu

ON devinait la présence de cette source, située au pied d'une petite colline boisée, par le murmure du petit ruisseau qui y coulait: c'était «la source du petit bon Dieu». On l'appelait ainsi à cause de son propriétaire, un homme pieux qui ne manquait jamais la messe le dimanche et qui parfois y allait deux et trois fois dans une même journée. Il était connu pour son grand coeur et sa bonté sans borne. Il pouvait tout donner, sauf son terrain sur lequel coulait la source; car son eau, disait-il, était miraculeuse et guérissait tout.

Combien de fois, lorsque j'étais enfant, me suis-je penché pour boire son eau claire et si limpide, avant de me rendre dans le champ voisin pour y cueillir des fraises. Malgré ses cinq ou six pieds de profondeur, on pouvait voir le fond tant l'eau était claire. Tous ceux qui connaissaient son existence ne manquaient pas de venir s'y abreuver à l'occasion—jusqu'aux animaux en pacage dans ce rang clos.

Un bel après-midi, le vieux Cléophas à Cabochon alla ramasser des mûres dans le champ situé près de la source. On le voyait marcher plié, s'appuyant sur une canne, rongé par les rhumatismes. Il n'avait pas travaillé depuis une vingtaine d'années. En passant devant la source du petit bon Dieu, il s'arrêta pour épancher sa soif. Comme il se penchait pour boire, un faux mouvement le précipita tête première dans l'eau glacée. Peu s'en fallut qu'il ne se noie. Les deux mains dans le sable au fond de la source, il donna un grand coup et revint à la surface. Quand il se releva, il était droit comme un jonc. Il cria au miracle! Ces rhumatismes qui le faisaient souffrir depuis si longtemps étaient disparus. Se sentant délivré, il lança au loin sa canne désormais inutile et courut à la maison annoncer la bonne nouvelle. On ne pouvait souhaiter meilleure preuve que l'eau de la source du petit bon Dieu était miraculeuse et guérissait toutes les maladies.

La nouvelle se répandit comme une traînée de poudre. Le jour suivant, tous les éclopés, les malades et les infirmes de l'Étang-du-Nord et même du Havre-aux-Maisons se rendirent à la source merveilleuse, chacun y plongeant un petit gobelet et buvant de cette eau miraculeuse (jusqu'au grand Magloire, qui avait reçu un coup de poing sur un oeil la veille, et qui avait toujours l'oeil noir). Chacun espérait se voir guéri. Au bout d'une semaine, rien ne s'était produit. Aucun miracle. Les éclopés étaient toujours éclopés, les malades toujours malades et les infirmes traînaient toujours leur infirmité. Tour à tour, chacun retourna chez soi, désappointé, son espoir déçu.

Plus tard, on prétendit que le vieux Cléophas, le miraculé, avait un disque de l'épine dorsale déplacé et que ce disque s'était replacé quand il était tombé dans la source. Ainsi s'expliquait le miracle.

Plusieurs années plus tard, ma soeur Stella, qui était demeurée pieuse et un peu superstitieuse, décida un beau matin de pâques de se lever avant le soleil pour aller chercher de l'eau miraculeuse. Elle se leva de bonne heure et enfila, pour ne pas se mouiller les pieds dans la rosée du matin, les longues bottes de pêche de mon père qui lui allaient jusqu'aux hanches. En cours de route, elle trébucha à plusieurs reprises. Tout excitée et courant à en perdre haleine, elle arriva à la source. Comme elle s'apprêtait à y plonger ses deux siaux, elle jeta un dernier coup d'oeil à l'horizon. Trop tard, le soleil commençait à poindre. Découragée, elle laissa là ses siaux et s'en retourna à la maison.

Triste, elle pensa alors qu'il faudrait attendre encore une année pour cueillir cette eau de Pâques miraculeuse qui guérit tout...

Ovide et sa musique céleste

«C'ÉTAIT un son de trompette merveilleux qui venait d'au-dessus de ma tête, un son comme jamais je n'en avais entendu auparavant...» Ainsi racontait Ovide.

C'était un homme d'une très belle intelligence, avec un esprit ouvert malgré son peu d'instruction. Il était de plus très religieux, simple et mystique, racontant des histoires fantastiques à qui voulait l'entendre.

«Un jour, dit-il, qu'il faisait un vent à décorner les boeufs et que tous les pêcheurs de la Grande-Entrée étaient restés à la cabane, Joseph à Sophie leur dit: «Il faut que j'aille à Havre-aux-Maisons me chercher une paire de bottes.

«—Comment vas-tu faire, répliquèrent certains, par une pareille tempête?

«— Vous allez voir, leur répondit-il en partant, ça n'me prendra pas de temps.»

«A peine dix minutes plus tard, il revient avec

une belle paire de bottes flambant neuves. Les gars sont surpris; ils n'en croient pas leurs yeux. Car il faut préciser qu'il venait de parcourir une distance d'à peu près vingt-cinq milles—aller seulement—en l'espace de dix minutes. C'était incroyable! Par la suite, on le nomma le loup-garou. Les gens, en plus de le craindre, ne cessaient de se poser des questions sur son compte. Tout de même, se disaient-ils, est-ce qu'un loup, même garou, aurait pu parcourir cette distance en si peu de temps? Il y avait quelque chose de mystérieux dans tout ça. On n'en reparla plus par la suite, mais le doute ne continua pas moins de planer...»

•

«Le vieux Fabien, racontait-il encore, était mort depuis plusieurs semaines. Nous, les jeunes, on allait souvent veiller chez lui pour courtiser les jeunes filles de la maison. Un soir, vers huit heures, alors que nous étions tous réunis pour danser, on vit soudain, dans un coin de la pièce, la vieille chaise à Fabien se mettre à bercer d'elle-même. On arrêta la danse et on regarda fixement la chaise jusqu'à ce qu'elle s'immobilise... Ce qu'elle fit à dix heures. Or, c'était précisément l'heure où le vieux Fabien, de son vivant, montait se coucher à chaque soir.

«Remis de ses émotions, chacun examina

attentivement le plancher pour s'assurer de sa solidité. Le phénomène ne pouvait être causé par un courant d'air, puisque l'on était en plein hiver et que toutes les fenêtres étaient fermées. Les plus superstitieux se jetèrent à genoux pour prier, croyant que le vieux, par cette manifestation, demandait des prières. Mais personne ne put jamais savoir quelle force mystérieuse avait permis à la chaise de se mouvoir d'elle-même...»

•

Ovide avait quatre fils qui faisaient son orgueil. Mais il avait une préférence secrète pour Richard, un garçon de dix ans, intelligent, avec de beaux yeux vifs, et qui manifestait un goût particulier pour la boxe. Chaque fois que l'occasion se présentait, il ne manquait pas de jouer des poings avec les jeunes du canton. Jamais il ne se faisait battre, même s'il n'hésitait pas à se mesurer avec des plus grands que lui. Il maniait ses poings comme d'autres manient la plume ou le pinceau; il s'en servait souvent pour défendre les plus faibles. Ovide l'admirait et souvent, il organisait pour lui des combats de boxe avec les jeunes du voisinage. Richard devenait alors le leader de la bande; rien ne lui faisait peur.

Un jour à l'occasion d'un combat de boxe

organisé pour Richard, Ovide promit une promenade à cheval à celui qui battrait son fils. Le combat commença. Cinq boxeurs y passèrent, et Richard sortit vainqueur une fois de plus. Son père lui dit: «J'ai promis une promenade à cheval au gagnant; tu la mérites! Va donc à l'étable et attelle la jument grise. On ira faire un tour sur la dune du nord.» Aussitôt, le petit Richard se rendit à l'étable. C'est en voulant passer en arrière de la jument que le petit Richard reçut une ruade en plein front et fut projeté sur le tas de fumier. Quand son père le trouva, la crâne fracturé, il constata avec horreur qu'il était mort. Il crut devenir fou de douleur; il ne pouvait admettre que son fils préféré soit mort. «Non! c'est impossible, disait-il, c'est sûrement un cauchemar et je vais bientôt me réveiller...»

On enterra le petit Richard. Après l'enterrement, Ovide retourna à la maison, le coeur brisé. Les jours suivants, il se rendit à pied au cimetière, distant de trois milles, pour prier sur la tombe de son fils perdu. Le cinquième jour, alors qu'il revenait à la maison en pensant toujours à son fils, Ovide entendit soudain un son de trompette, une sorte de musique céleste qui venait d'au-dessus de sa tête. Il s'immobilisa, regarda autour de lui: personne! Pas même une maison à deux milles à la ronde!

Alors, Ovide pensa que c'était le ciel qui voulait lui faire savoir que son Richard était au paradis et qu'il ne fallait pas s'en inquiéter. Par la suite, il ne retourna jamais plus au cimetière... sauf une autre fois bien sûr, la dernière, le jour où il fut enterré!

Le rôdeur de dunes

JEAN Décosse était un colosse de six pieds et quatre pouces, pesant au-delà de deux cents livres et fort comme six hommes. Il ne craignait ni Dieu ni diable. Jean allait souvent rôder sur les dunes pour y couper du foin et ramasser des billots et des objets de toutes sortes que la marée haute apportait régulièrement sur la côte.

Il partait de chez lui tôt le matin. Debout dans sa charrette tirée par un cheval, il respirait l'air salin que poussait le vent du large, un air imprégné de cette liberté dont jouissaient les goélands. Parfois il passait la nuit sur place, dans une de ces cabanes bâties par des gens qui allaient comme lui couper du foin sur la dune. C'était la coutume du temps de partir avec sa famille, pour une semaine ou deux parfois, le temps de couper tout le foin.

Ce jour-là, sous un soleil brûlant, Jean se promenait comme d'habitude sur la dune, marchant à côté de son cheval et chantant le plus fort possible pour rivaliser avec le bruit de la mer. Il faut dire qu'il avait une belle voix, la plus belle que l'on pouvait entendre le dimanche à la messe. C'était le meilleur chanteur du canton; aussi, quand il y avait une soirée ou une noce, allait-on le chercher pour chanter et en même temps maintenir l'ordre—car les jeunes le craignaient et le respectaient.

Il marchait toujours sur la dune, quand il aperçut, à un quart de mille, un homme immobile qui paraissait contempler la mer. Intrigué, il continua à marcher. Mais plus il approchait, plus il lui semblait que l'homme n'avait pas de tête. Haussant les épaules, il se dit que ce ne pouvait être qu'une hallucination. Lorsqu'il fut tout près, il s'aperçut avec horreur qu'il ne s'était pas trompé: l'homme était debout, immobile, avec sa tête sous le bras droit. Pris de panique, Jean se mit à trembler, lui, le brave qui n'avait jamais peur de rien. Ne pouvant faire un pas de plus, il restait figé là, comme paralysé, regardant fixement la sinistre apparition.

Tout à coup, l'homme disparut. Jean tenta de se ressaisir et, encore tout tremblant, s'apprêta à rebrousser chemin. Mais il n'avait à peine fait trois pas qu'il aperçut, à cent pieds de lui, deux hommes debout, immobiles, avec leur tête sous le bras droit. Les deux hommes paraissaient discuter, en gesticulant de leur bras gauche. Décidé d'en finir, Jean se dit: «Écoute, t'as jamais eu peur de rien. C'est pas des petites hallucinations du genre qui vont t'apeurer.» Il s'avança donc lentement vers les deux hommes sans tête. Arrivé à vingt pieds d'eux, il allait leur adresser la parole quand ils disparurent brusquement. Il poursuivit sa route et, avant de rentrer chez lui, s'arrêta chez le curé et lui raconta l'aventure qu'il venait de vivre. Devant l'incrédulité du curé, Jean s'exclama: «Eh bé, Godême! si vous ne me croyez pas, qui va me croire? Puisque je vous dis que les deux hommes sans tête, j'les ai vus, et qu'ils ont disparu ensuite.»

Tôt le lendemain matin, il repartit pour la dune avec son chien, pour encore une fois y ramasser des billots. Pas un instant l'image de ces hommes sans tête ne l'avait quitté. Mais, cette fois, il avait pris soin d'apporter son fusil. Il se dit tout haut: «Si je les vois, je vais leur passer une balle à travers la peau.» Il travailla toute la journée sans rien voir. A la brunante, il s'aperçut qu'il s'était attardé plus que d'habitude et qu'il n'aurait pas le temps de rentrer à la maison. Il décida donc de passer la nuit sur la dune. Il entra dans une cabane et alluma un bon feu pour faire cuire quelques palourdes et du homard qu'il avait réussi à prendre.

Après le repas, il se coucha tôt, épuisé par cette journée au grand air.

A minuit tapant, il fut réveillé par un bruit infernal de chaînes et de madriers jetés à la mer. Des voix d'hommes qui hurlaient des ordres arrivaient jusqu'à lui. Bon Dieu! pensa-t-il, il y a un bateau qui vient de faire côte. Il ouvrit la porte; son chien lui passa entre les jambes et, à peine sorti, commença à se battre avec un autre chien que Jean entendait mais n'arrivait pas à voir. Pour se rassurer, il fit le tour de la cabane. Ne voyant toujours rien, il rentra se coucher. Cinq minutes plus tard, le bruit cessa et tout redevint calme.

Le lendemain matin, au petit jour, il rentra chez lui. En le voyant, sa femme s'écria: «Mais quoi c'est qui t'est arrivé? T'es blême, jaune, vert, de toutes les couleurs! Tu fais zire et mal au coeur! Es-tu malade?

—Mais non, répondit-il, je ne suis pas malade! Je n'ai rien! Sais-tu si le curé est au presbytère?

—Pourquoi? reprit sa femme. Aurais-tu envie de mourir tout de suite? Voudrais-tu te faire administrer?»

Il sortit de chez lui en claquant la porte.

Jean retourna donc chez le curé et lui raconta sa nouvelle aventure. Le curé lui dit: «Ce que tu as vécu cette nuit est probablement un phénomène parapsychique, chose qui arrive rarement. Si le naufrage n'a pas eu lieu, il aura peut-être lieu prochainement. Surveille bien la côte.»

En effet, quinze jours plus tard, un brick chargé de madriers à destination de l'Europe vint échouer à cet endroit. Jean se trouvait sur la dune à ce moment-là, et il vécut de nouveau les événements de la fameuse nuit.

Vous pouvez voir aujourd'hui l'endroit précis où échoua le bateau, entre la Pointe-aux-Loups et la Grosse-Île; il porte le nom de l'Anse-au-petit-brick.

Le trésor de l'île Brion

IL était environ minuit. Tous les pêcheurs dormaient paisiblement dans la cabane où ils s'étaient réfugiés, après une dure journée de pêche où ils avaient pris beaucoup de poisson. Seul Hippolyte restait éveillé, pensant à la pêche du lendemain.

Soudain, il entendit, venant du large, un bruit de chaînes et d'ancre jetées à la mer, puis des voix d'hommes. Il se leva, s'habilla et alla regarder par la seule fenêtre qui donnait sur la mer. Dans la demi-obscurité, il vit se découper sur l'horizon une goélette sur le pont de laquelle des lumières allaient et venaient. Il pensa que c'étaient peut-être des pêcheurs étrangers; mais que faisaient-ils là, en pleine nuit, au lieu d'être couchés? Il vit enfin plusieurs hommes munis de lanternes, qui descendirent dans une chaloupe et ramèrent jusqu'à la côte.

Tout doucement, il réveilla son frère et lui

raconta ce qu'il venait de voir. Ils s'habillèrent aussitôt et sortirent de la cabane, prenant garde de ne pas réveiller leurs compagnons. Ils suivirent un petit sentier qui menait à la plage, puis ils se cachèrent dans un petit bois et surveillèrent les cinq hommes qui venaient de débarquer sur la côte. Munis de pics et de pelles, ces hommes s'enfonçaient dans le bois en chantant des chansons dans une langue étrangère. Hippolyte et son frère les suivirent à distance. Les cinq hommes s'arrêtèrent près d'un gros arbre, et celui qui semblait être le chef sortit une carte et commença à l'étudier avec ses compagnons. Ils ne paraissaient pas d'accord, et ils discutèrent pendant une bonne heure. La nuit était claire. La lune brillait au ciel. On pouvait facilement distinguer le visage dur de ces hommes — des pirates sans doute. Hippolyte et son frère, toujours cachés derrière les arbres, n'osaient faire un seul geste, de peur d'être repérés. Enfin, le groupe en vint à une entente. Le chef du groupe, le capitaine sans doute, décida de creuser sous le gros arbre. Déjà, on voyait la sueur qui dégoulinait sur le visage des marins. Le trou devenait de plus en plus profond. Des hommes, on ne voyait plus maintenant que la tête.

Soudain, l'un d'eux frappa quelque chose de dur avec sa pelle. Il poussa un cri, et le capitaine leur fit signe de continuer à creuser. Deux hommes installèrent quatre troncs d'arbres au-dessus du trou, de façon à former un carré sur lequel ils fixèrent des câbles et des poulies. On commença à haler sur les cordes et, tout à coup, on vit apparaître un gros baril. On le déposa par terre, à côté du trou, et on l'ouvrit.

Hippolyte et son frère, stupéfaits, virent à travers les arbres des choses qui brillaient au clair de lune: c'était des pièces d'or et d'argent. C'était le trésor! Trempés jusqu'aux os et tremblants de tous leurs membres, Hippolyte et son frère se retirèrent doucement, sans bruit, suivant des yeux les pirates qui s'en retournaient, à leur bateau, chargés de leur butin. Puis, ils s'enfuirent à toutes jambes et rentrèrent à la cabane, pendant que le bateau s'éloignait de la côte.

Le lendemain matin, Hippolyte et son frère racontèrent à tous les pêcheurs qui étaient dans la cabane ce qu'ils avaient vu pendant la nuit. Ils les conduisirent même à l'endroit d'où le trésor avait été retiré. Au pied de l'arbre, on pouvait voir le trou et les quatre troncs d'arbres. Hippolyte et ses compagnons n'en revenaient pas d'avoir été si proches de la richesse sans le savoir. Et chaque soir, pendant une semaine ou deux, on regardait vers le large, dans l'espoir que d'autres pirates viennent cacher un trésor.

•

Plus tard, Hippolyte fit un rêve bizarre. Il voyait, juste au bas de la cabane, sur un banc de sable, un gros billot sous lequel était caché un trésor. Le lendemain matin, au réveil, il sortit de la cabane et se diriga vers l'endroit qu'il avait vu en rêve. Il y trouva le billot et, comme il avait un bâton dans les mains, il l'enfouit dans le sable mou. En le retirant, il s'aperçut qu'il y a des morceaux de velours et de soie qui y étaient accrochés. Mais voilà que, presque en même temps, le billot commença à bouger et que de petits hommes sans tête sortirent de terre et l'entourèrent en dansant.

Les cheveux à pic sur la tête, pris de panique, Hippolyte ne savait plus que faire, pris au piège au milieu de ces petits diables. Il profita d'une ouverture du cercle diabolique et s'enfuit vers la cabane. En le voyant arriver dans tous ses états, les pêcheurs lui demandèrent: «Quoi c'est qui t'est arrivé, Polyte?» N'osant leur raconter son aventure de peur qu'ils ne le prennent pour un fou, il décida de se taire. Mais il se jura de ne jamais plus essayer de trouver un trésor: c'était trop compliqué et dangereux. Il était convaincu qu'il y avait des puissances invisibles, plus fortes que lui, qui gardaient ces trésors. C'est pourquoi, après cette mauvaise expérience, il ne donna jamais plus suite à ses rêves.

Les déserteurs de la marine

On était dans les années d'avant-guerre—celle de 1914. Les pêcheurs français, qui venaient pêcher la morue dans le golfe du Saint-Laurent, faisaient de temps en temps escale aux Îles-de-la-Madeleine pour s'approvisionner en eau potable et en nourriture.

A bord des goélettes, la vie était très dure. Le capitaine et ses officiers se montraient sans pitié pour les membres de l'équipage. Quand les jeunes matelots étaient indisciplinés, on les attachait au mât de la goélette et on les fouettait jusqu'au sang et même jusqu'à ce qu'ils perdent connaissance. Ensuite, on les jetait au cachot, où ils demeuraient parfois deux ou trois jours au pain et à l'eau. La vie à bord était donc le plus souvent intolérable pour ces jeunes marins. Une vraie galère!

Un beau jour, une goélette fit escale à Cap-aux-Meules. Pendant que les officiers étaient à terre pour s'approvisionner, cinq membres de l'équipage, tannés d'être maltraités, décidèrent de quitter le navire et de se cacher dans les buttes sur les Caps, là où le bois était touffu.

Maurice, Norbert, Jean-Claude, Pierre et Cajeton étaient jeunes, pleins d'énergie et de rêves qu'il espéraient réaliser en quittant ce navire de misères. Malheureusement, Maurice et Norbert furent repris aussitôt, ayant été trahis par des pêcheurs sans coeur et sans scrupule. Les trois autres parvinrent toutefois à s'échapper et à trouver un abri dans un trou de rocher bordé de petits sapins. Du haut de leur cachette, ils purent voir leurs deux malheureux compagnons, mains liées derrière le dos et la corde au cou, marchant en arrière d'une charrette tirée par un cheval.

Il leur fallait maintenant s'organiser et trouver la nourriture nécessaire pour survivre. Ils ne sortaient que la nuit, et ils frappaient aux portes de quelques maisons de pêcheurs, quêtant de quoi se mettre sous la dent; ces gens charitables leur refusaient rarement le nécessaire.

Un soir, Madeleine Leblanc, une jolie jeune fille du canton des Caps, prit un grand tablier blanc, le remplit de nourriture et, à la brunante, sortit de chez elle pour se diriger vers l'endroit où étaient cachés les jeunes déserteurs. Elle ne s'était pas aperçue qu'on la suivait: c'étaient des officiers du navire, accompagnés d'un pêcheur qui avait dénoncé les fugitifs. Comme Madeleine s'apprêtait à entrer dans la cachette, une voix ordonna: «Halte là! Où allez-vous, mademoiselle, avec ce paquet?» Se retournant d'un bond, elle se trouva face à face avec un canon de revolver: un officier français la mettait en joue. Terrifiée, elle n'osa répondre. Ils s'approchèrent donc et aperçurent l'entrée de la cachette. Ils s'y précipitèrent et tombèrent sur nos trois jeunes déserteurs. «Vous êtes nos prisonniers, dirent-ils. Ne bougez pas.» Ils leur attachèrent les mains et leur ordonnèrent de sortir et de marcher droit devant eux. Mais, comme ils descendaient la butte et passaient devant un petit bois, un homme masqué surgit tout à coup devant eux et leur dit en anglais: «Lay down your arms, buddy!» Et eux, tout étonnés: «Qu'est-ce que vous dites? On ne comprend pas l'anglais.» Alors l'homme masqué, avec un fort accent, insista: «Mettez vos armes à terre!» Tout tremblants, ils jetèrent leurs armes. «Bon!, reprit l'Anglais, mettez les mains en l'air et déguerpissez; et que je ne vous voie plus dans les parages!» Après avoir délié les mains des trois prisonniers, il leur rendit la liberté. Ceux-ci le remercièrent vivement et lui demandèrent d'ôter son masque. Mais il refusa, craignant que, capturés à nouveau, ils ne soient forcés de divulguer son nom.

Remis de leurs émotions, nos déserteurs

s'assoient sur l'herbe, au clair de lune, pour manger le bon pain et le gigot d'agneau que Madeleine leur avait apportés. Après avoir bien mangé et discuté, ils décidèrent de changer de cachette et de se trouver un abri plus sûr. Ils descendirent dans la vallée et marchèrent un peu pour monter sur une autre butte, un peu plus haute cette fois, où ils trouvèrent un abri d'où ils avaient une vue d'ensemble de tout le Cap-aux-Meules. Ainsi, ils pouvaient observer les allées et venues de chacun et surveiller les officiers du navire.

Le lendemain, le capitaine décida de larguer les amarres et de repartir pour le large, laissant les jeunes marins sur les îles mais se promettant bien de les reprendre à son prochain voyage.

Des semaines, des mois passèrent: la goélette ne revint pas. Les pêcheurs charitables des Îles hébergèrent les déserteurs pendant l'hiver. Quant à Madeleine, entre temps, elle était devenue amoureuse de Pierre, qu'elle épousa l'année suivante. Pierre et ses compagnons ne quittèrent plus jamais les Îles, heureux d'avoir trouvé un pays où ils pouvaient vivre en liberté.

Les deux coquerelles

DEUX grasses coquerelles, sur un tas de fumier, montraient leurs ailes au fils du fermier. Et ce fils de fermier, Jean-Claude, était un pacifique, un doux. Il ne voulait faire de mal à personne, pas même à une coquerelle... et les coquerelles le savaient.

Les deux coquerelles, Anita et Rita, n'étaient pas habituées à la campagne. D'origine montréalaise, elles avaient par erreur accompagné des touristes en visite aux Îles. Elles s'ennuyaient à mourir, habituées qu'elles étaient à vivre dans des maisons. Ici, elles étaient forcées de vivre dans une étable, près des animaux qui dégageaient une odeur qu'elles trouvaient répugnante, elles qui étaient habituées aux odeurs agréables d'une cuisine où vivaient des humains. Maintenant, le seul humain qu'elles avaient l'occasion de rencontrer était le fils du fermier, Jean-Claude, qu'elles aimaient beaucoup. Elles comprenaient qu'il était bon et doux;

elles avaient confiance en lui. Parfois, quand il venait faire le train d'étable, il s'assoyait sur un sac de grains et leur parlait dans un langage qu'elles ne comprenaient pas toujours, car l'accent des Îles était quelque peu différent de celui de Montréal. Mais elles l'écoutaient quand même. C'est pourquoi, un beau jour, elles décidèrent de lui montrer leurs ailes, ce qui était peu banal.

Jean-Claude passait pour idiot dans son canton. Il n'avait pas d'amis. A ses yeux, le monde était trop cruel: on détruisait les rats, les souris, les mouches et même les coquerelles, ces pauvres petites bêtes inoffensives. C'est pour cette raison qu'il voulait se faire des amis d'Anita et de Rita. Elles ne demandaient pas mieux, leurs pires ennemis étant les humains. C'est donc avec joie qu'elles acceptèrent l'amitié de Jean-Claude; elles en avaient besoin. Parfois, tout en prenant des fourchées de foin, Jean-Claude les laissait se percher quelque temps sur le manche de la fourche; c'était amusant.

Un jour, Anita dit à sa compagne: «Si on essayait de se rendre à la maison du fermier, ce serait certes beaucoup mieux. Je suis tannée de vivre ici, à l'étable, parmi les animaux. C'est sale, plein de fumier, et ça pue ici.» Il faut dire que les coquerelles aiment beaucoup la propreté. Mais Rita, plus réaliste, lui répondit: «Sais-tu, Anita, quelle distance il y a entre l'étable et la maison? Presque quinze cents pieds! (ce qui est énorme pour des coquerelles). Sans compter qu'il y a un ruisseau à traverser.

—T'occupe pas de ça, Rita; quand nous serons rendues au ruisseau, je saurai bien quoi faire. Je veux seulement être sûre que tu vas venir avec moi.

—Bien sûr que j'irai avec toi, dit Rita. Je ne vais tout de même pas rester ici toute seule!

Préparons-nous, enchaîna Anita; demain matin, on part.»

Dès le lendemain, au petit jour, elles mettent leur projet à exécution. Elles passent par un tunnel en arrière de l'étable, traversent le champ de foin, montent et descendent des monticules qui pour elles sont hauts comme des montagnes et, fatiguées et tout en sueur, arrivent enfin au ruisseau.

Regardant son amie, Rita demanda d'un ton sarcastique: «Qu'est-ce que tu vas faire maintenant?

—Écoute bien, dit Anita, on va suivre le ruisseau jusqu'aux chutes.» Elles obliquèrent vers la gauche et, rendues aux chutes, elles choisirent un brin de paille et le creusèrent pour en faire une sorte de canot. Un brin d'herbe servant d'aviron, elles descendirent le courant pour arriver à l'autre bout du ruisseau, juste au pied de la maison. Elles débarquèrent et entreprirent de parcourir la distance qui les séparait de leur but, soit une dizaine de pieds. Au bout d'une heure, elles parvinrent à l'entrée d'un tunnel probablement creusé par des souris et qui conduisait dans une cave ténébreuse. Dans l'obscurité la plus complète, elles gagnèrent un des poteaux qui soutenaient la maison et se mirent à y grimper. Puis, se glissant par une fente du plancher, elles débouchèrent dans la cuisine où tout reluisait de propreté. La maîtresse de maison faisait sa popote sur le poêle et une bonne odeur de choux arriva jusqu'à elles. Anita et Rita étaient émerveillées. Mais, en les apercevant, la femme poussa un cri d'horreur: «On est envahi par les coquerelles! S'il y en a deux, il doit y en avoir une colonie.» Elle prit tous les moyens nécessaires pour se débarrasser des indésirables.

Elle acheta une poudre spéciale, qu'elle répandit dans tous les recoins de la cuisine. Incapables de respirer, Rita et Anita durent battre en retraite. Elles retournèrent donc à l'étable. Le voyage de retour fut long et pénible. Elles retrouvèrent l'odeur du fumier mais, en même temps, leur liberté. De toute façon, cette odeur leur était plus supportable que celle du produit chimique répandu par la maîtresse de maison. Au moins, à l'étable, retrouvaient-elles en Jean-Claude un ami sûr.

Les deux escouades

C'ÉTAIENT deux escouades de chasseurs de loups-marins, composées de plusieurs hommes chacune. L'une était dirigée par Alex, homme très pieux—surtout quand il se voyait en danger de mort; l'autre était menée par Nathaël, un dur, un coriace qui ne craignait ni Dieu ni diable. Il faut dire aussi qu'il ne pratiquait aucune religion: il ne croyait à personne d'autre qu'à lui-même.

Ils étaient tous réunis dans une maison de la Grosse-Île, en face de l'Île Brion, en attendant que le vent vire au nord et que les loups-marins puissent venir plus près de terre, emportés par les glaces flottantes. Mais les loups-marins n'étaient toujours pas en vue.

Enfin, on décida de partir pour l'Île Brion, à une distance de dix-sept milles. L'île n'étant pas habitée, on serait, se disait-on, les premiers arrivés au milieu de la mouvée. Le soleil brillait et ses reflets sur la glace aveuglaient les chasseurs. Les canottes glissaient bien sur la glace. Tous les hommes étaient joyeux et rêvaient d'une bonne chasse.

Ils étaient à peine parvenus à mi-chemin, quand le vent vira de bord; le ciel s'obscurcit et il commença à neiger. Le vent prenait de la force; on marchait péniblement et on se croyait perdu à tout jamais. Alex et ses hommes se jetèrent à genoux parmi les glaces et se mirent à réciter leur chapelet, pensant que leur dernière heure était venue et qu'ils ne reverraient jamais plus leur famille. L'escouade de Nathaël les dépassa en se moquant et bifurqua vers la droite.

Une heure plus tard, comme par miracle, le vent cessa. A la faveur d'une éclaircie, on put voir l'Île Brion droit devant. Au même moment, une saignée parmi les glaces permit de mettre le canotte à l'eau et, ainsi, de progresser beaucoup plus vite.

Nathaël et ses hommes disparurent dans la tempête. A peine avaient-ils marché quelque cent pieds qu'ils décidèrent de s'arrêter et de camper sur la glace en attendant la fin de la tempête. Toute la nuit, ses hommes dormirent; lui seul resta éveillé. De temps en temps, il réveillait ses compagnons pour les empêcher de geler à mort sur la glace. Cette nuit-là, il entendit, à quelques pas de lui, les cris des loups-marins de la grande mouvée. Le lendemain matin, ils se rendirent à l'Île Brion pour avertir les autres de la présence des loups-marins qui, entre temps, s'étaient rapprochés de l'île.

Les autres chasseurs furent stupéfaits de voir apparaître l'escouade de Nathaël. On les croyait tous morts. Voyant leur étonnement, Nathaël s'écria: «Restez pas là comme des statues; gréez-vous! Les loups-marins sont tout près.» Ils se ruèrent tous hors de la cabane, emportant avec eux tout leur gréement, et ils se rendirent là où se trouvait la mouvée de loups-marins. Et la chasse commença. On chassa toute la journée, si bien qu'au retour, leur canottes étaient chargés jusqu'au bord.

Plusieurs semaines plus tard, Alex rencontra Nathaël et lui demanda: «Dis donc, Nathaël, comment as-tu fait pour sortir de cette maudite tempête-là?

—C'est simple, dit-il, j'ai attendu qu'il fasse beau... Ensuite ç'a été facile!»

Les feux-follets

OCTAVE était un homme d'une soixantaine d'années, très pieux, priant souvent la Sainte Vierge pour obtenir des faveurs. La plupart du temps, il était exaucé; du moins, c'est ce qu'il affirmait. L'idée de manquer la messe le dimanche ne l'effleurait même pas, et il ne concevait pas qu'on pût travailler ce jour-là. Il craignait trop la malédiction divine.

Un samedi soir, vers les dix heures, alors qu'il faisait un temps calme et que la lune brillait, il attela son cheval à la charrette et s'en alla sur la dune du nord, afin d'y ramasser du bois déposé par la marée haute.

Seul avec ses pensées, Octave était heureux de marcher au clair de lune, se sentant libre comme un goéland. Il faisait bon respirer l'air salin venant du large; le ciel était couvert de marionnettes qui se déplaçaient et venaient si près de lui qu'il avait l'impression de pouvoir les toucher. Les reflets de la pleine lune brillaient sur la mer paisible et comme endormie. Tout en marchant, Octave ramassait le bois de dune et le déposait dans la charrette. Tout à coup, en relevant la tête, il aperçut au loin une lumière vacillante qui brillait avec éclat. Intrigué, il se mit à marcher dans cette direction. Plus il avançait, plus le feu grossissait et sautillait. Arrivé à une centaine de pieds, il estima que le feu était gros comme un ponchon. Saisi d'épouvante, il commença à prier la bonne Sainte Vierge de le protéger de ce feu qui semblait sortir tout droit de l'enfer. Soudain, il lui vint à l'esprit qu'il devait être deux heures du matin et que c'était dimanche. Lui qui n'avait jamais travaillé ce jour-là! Désespéré, il se jeta à genoux, implorant tous les saints dont il se rappelait le nom de le délivrer de ce diabolique feu-follet. Tout à coup, le feu disparut comme par enchantement: ses prières étaient exaucées! Il s'empressa de retourner à la maison, regardant de temps en temps derrière lui pour s'assurer que le feu ne le suivait pas.

Presque à mi-chemin, il fallait franchir une petite butte. De l'autre côté coulait un étroit ruisseau qu'enjambait un petit pont. Comme il arrivait au bas de la pente, Octave vit surgir, au milieu du pont, un autre feu qui lui barrait la route. Le cheval s'arrêta net, comme pétrifié. Mais cette fois, Octave n'avait pas peur; il avait vaincu partiellement sa frayeur sur la dune. Il descendit de la charrette et se mit à examiner le feu-follet qui vacillait sur le petit pont. Il se rappelait s'être fait dire par les vieux que si un cheval s'arrêtait comme ça devant un feu-follet, la meilleure chose à faire était de tracer un signe de croix sur le front de la bête. Ce qu'il fit sans perdre de temps. Aussitôt, le feu-follet disparut et le cheval poursuivit sa route sans autre incident. Chemin faisant, Octave se promit bien d'aller à la messe ce dimanche même.

•

Il arrivait souvent à Octave d'être aux prises avec les feux-follets. C'était à croire qu'il les attirait. Il partit un jour pour la chasse aux outardes, à la Belle-Anse. A peine rendu, il aperçut une bande d'outardes qui se posaient sur l'eau à moins de cinq cents pieds de lui. En vitesse, il épaula son fusil et bang! bang! Toutes les outardes s'envolèrent, sauf cinq dont les cadavres flottaient maintenant sur l'eau. Il était fier de lui: il venait de tuer cinq outardes en deux coups de feu. Il était probable que quelques-unes étaient mortes de peur. Tout un exploit pour un chasseur! Satisfait, il décida de rentrer à la maison, chargé de son gibier. Il avait hâte d'arriver chez lui pour raconter son exploit, en exagérant un peu, bien sûr.

Mais, sur le chemin du retour, à la nuit tombante, il aperçut une lumière qui passait devant la maison de Sam au gros Jean. Il pensa d'abord que ce devait être Sam qui allait faire son train d'étable avec son fanal. Mais la lumière dépassa l'étable et s'avança vers lui. Elle sautillait comme si un homme invisible l'avait tenue à la main. Arrivée à deux cents pieds de lui, la lumière prit la forme d'une boule de feu. Et, lentement, elle continuait de s'approcher. «Encore ces feux-follets!» fit-il, furieux. Il n'avait vraiment pas peur. Il se souvint de ce que sa grand-mère lui avait déjà dit de faire s'il rencontrait un feu-follet sur son chemin. Il fallait planter un couteau de poche dans un arbre, en plaçant le plat de la lame parallèlement au sol. C'est ce qu'il fit. Le feu-follet avançait toujours en se dandinant. Il essaya d'éviter la lame du couteau en se glissant dessous, mais sans y parvenir. Le feu disparut aussitôt, tandis que du sang coulait du couteau et se répandait par terre.

Le feu-follet s'était coupé la gorge et saignait à mort. A présent, Octave était fier de lui. Il avait trouvé le moyen de vaincre définitivement les feux-follets.

Par la suite, quand il sortait le soir, Octave redoublait de prudence: il se munissait toujours d'un couteau de poche, au cas où il aurait rencontré d'autres feux-follets. Sait-on jamais?

Les filles de l'île Brion

COMME elles étaient robustes et fortes, ces filles qui tous les printemps, au mois de mai, quittaient la maison pour aller travailler à l'île Brion dans les usines à homard. C'est avec joie que tous les jeunes s'embarquaient pour l'île, afin d'y pêcher sur les fonds de homard.

La saison de pêche était très courte; elle durait à peine deux mois, soit de mai à juillet. Mais, pendant ce court laps de temps, une activité intense régnait sur l'île. On travaillait dix heures par jour avec des règlements sévères. Les plus âgés se faisaient un devoir de veiller sur les jeunes filles, de façon qu'elles restent dans le droit chemin et conservent leur vertu—si vertu il y avait...

Comme on travaillait très fort le jour, on se couchait tôt le soir pour être en forme le lendemain matin. On comptait sur le beau temps, car, les jours de tempête, les pêcheurs ne sortaient pas pour aller au large: c'était trop dangereux. Alors chacun demeurait à la cabane, s'ennuyant parce qu'il n'y avait rien à faire.

Un soir de juin, par temps calme, alors que le ciel était blanc d'étoiles et que la lune se réflétait dans la mer et venait se perdre au pied des caps, chacun s'apprêtait à aller dormir quand le maître de la cabane, le vieux Uriel, s'aperçut que deux de ses filles ne répondaient pas à l'appel. Naturellement, il s'en inquiéta; après tout, il était responsable de toutes ces jeunes filles—et surtout des siennes. Toutes sortes d'idées lui passaient par la tête. S'il fallait qu'elles aient eu un accident, ou qu'elles soient tombées en bas d'un cap ou, pire encore, qu'elles aient pris le chemin des bois avec des jeunes pêcheurs qui habitaient la cabane d'à côté. Il sortit et se rendit à l'autre cabane, où les pêcheurs s'apprêtaient à se coucher. Il leur demanda si quelqu'un avait vu ses filles Eugénie et Florida. On lui répondit que non. Il leur demanda aussi si tous les pêcheurs étaient rentrés à leur cabane. Il en manquait deux, lui dit-on; c'était Octave et Lionel, les deux garçons du défunt Pierre. Cette fois, Uriel s'inquiéta pour de bon. Ces deux jeunes-là, il les connaissait; ils avaient la réputation d'être les plus maquereaux de tous les pêcheurs de l'île Brion.

Il retourna à sa cabane, où l'on dormait déjà. Il s'assit dans un coin, se tenant la tête à deux mains, et se mit à penser que ces deux maquereaux-là pourraient bien abuser de ses filles, ce qui serait la honte et le déshonneur de la famille. Aussi bien ne pas y penser! Il regarda de nouveau l'horloge. Mais qu'est-ce qu'elles peuvent bien faire à une heure pareille? Minuit sonna, une heure, puis deux heures. Enfin, vers trois heures moins quart, il entendit des éclats de rires qui s'approchaient de la cabane. Il sortit et reconnut Eugénie et Octave, Florida et Lionel qui s'en revenaient de la plage, bras dessus bras dessous. Ils étaient joyeux, alors que lui avait la rage au corps. Comme il s'apprêtait à les engueuler, il se ressaisit et se dit qu'il était tout de même dommage de gâcher leur bonheur. De plus, il savait ses filles sérieuses. Peut-être finiraient-elles par se marier avec ces deux garçons-là. C'étaient de bons travailleurs, de bons pêcheurs, au fond. Puis il pensa à sa propre jeunesse et se souvint qu'il avait rencontré sa femme, Flore, à cette île même et que c'était là qu'ils s'étaient matchés. Depuis, il était heureux avec elle. Mais s'il y avait eu quelqu'un pour lui mettre des bâtons dans les roues à ce moment-là, il ne l'aurait peut-être pas épousée l'année suivante.

De leur côté, les deux filles, en voyant apparaître leur père à une heure aussi tardive, s'attendaient à être réprimandées. De toute façon, elles étaient si heureuses en ce moment, avec leur amoureux, que rien ne pouvait vraiment les atteindre. Contrairement à ce qu'elles prévoyaient, le père leur dit: «D'où c'est que vous venez à une pareille heure? Il est trois heures du matin et vous devez être debout à sept heures pour aller travailler; vous allez être mortes de fatigue.» Surprises de l'attitude de leur père, elles lui sautèrent au cou et l'embrassèrent.

L'année suivante, Eugénie et Florida se marièrent avec Octave et Lionel.

Les fraudeurs

Aux Îles-de-la-Madeleine, on appelait fraudeurs ceux qui vendaient de la boisson en contrebande—car on était alors au temps de la prohibition.

Les petites goélettes partaient de Saint-Pierre et Miquelon avec un chargement de boisson, pour venir la vendre aux Îles. Ces gens-là étaient pour la plupart originaires de Terre-Neuve ou de la Nouvelle-Écosse. On les voyait rsourdre à la brunante, dans leur goélette à deux mâts, toutes voiles déployées. A trois milles des côtes, ils jetaient l'ancre et attendaient que les pêcheurs des Îles viennent s'approvisionner avec leurs petits bateaux de pêche. On attendait différentes boissons, surtout le «petit rouge» qui était d'excellente qualité. Malheureusement, ces pêcheurs abusaient souvent de la situation, se soûlant avant même de quitter la goélette. Combien de fois a-t-on vu de ces petits bateaux de pêche, chargés de boisson jusqu'au bord, chavirer en arrivant à la côte, noyant tous leurs hommes soûls.

Comme ces fraudeurs ne venaient qu'une ou deux fois durant l'été, les gens en profitaient pour prendre des brosses au «petit rouge» de Saint-Pierre et Miquelon, brosses qui duraient parfois des semaines. Aujourd'hui encore, les plus âgés parlent, non sans nostalgie, les yeux dans le vague, du bon vieux temps de la prohibition et de ce «petit rouge» qui les rendait si gais et si braves. La chose présentait toutefois des inconvénients: certains exagéraient et faisaient souffrir leur famille en dépensant toute la gâgne de l'année et en rentrant soûls tous les soirs. La Société des Alcools n'avait pas encore fait son apparition aux Îles; c'est pourquoi les gens se soûlaient plus facilement dès que l'occasion se présentait. Pour faire contrepoids à tout ça, il y avait des groupes de gens qui venaient d'«en dehors» des Îles pour prêcher, avec raison, la tempérance.

Quand on voyait apparaître au large un de ces fameux petits deux mâts qui s'approchait tranquillement des côtes, les femmes se disaient: «Ah! les maudits fraudeurs qui sont encore dans nos parages! Il va falloir surveiller nos hommes.» Et les hommes, eux, souriaient secrètement dans leur barbe et, se frottant les mains, disaient: «On va t'en prendre une Godême de balloune ce soir...»

Dès que les goélettes approchaient suffisamment pour qu'on puisse monter à bord, on embarquait des canistres de «petit rouge» pour les transporter, à la brunante, sur les dunes. On les enfouissait dans le sable et on revenait les chercher plus tard. Peut-être pourrait-on, aujourd'hui encore, découvrir de ces boîtes de tôle oubliées dans leur cachette.

Entretemps, les prêtres, quand ils montaient en chaire, condamnaient les trafiquants de boisson, les envoyant tous en enfer brûler dans le feu éternel.

Un jour, le grand Octave fut accusé de vendre de la boisson en contrebande. La police le somma de se présenter en cour le lendemain. Le grand Octave fit donc venir chez lui trois de ses amis, leur demandant d'être ses témoins à la cour. En arrivant chez Octave, ses amis le virent couché dans un petit berceau, en train de se faire bercer par sa mère. Surpris, ils lui dirent: «Quoi c'est que tu fais là, dans le berceau? D'viens-tu fou?» Il se contenta de leur dire: «Attendez à demain, en cour, vous aurez votre réponse.»

Le lendemain, devant le public considérable réuni à la cour, le juge déclara: «Octave, tu es accusé d'avoir vendu de la boisson en contrebande. Qu'as-tu à dire pour ta défense?

—Moi, rien, répondit-il; juste deux mots,

monsieur le juge. Je peux jurer que je n'ai pas vendu de boisson depuis le temps où ma mère m'a bercé dans mon berceau.» Les témoins ne purent faire autrement que de jurer qu'il disait vrai. Octave fut donc acquitté.

Les marionnettes

ON appelle marionnettes aux Îles ce qu'ailleurs on nomme aurores boréales. Vous connaissez sans doute ces langues lumineuses qu'on aperçoit par temps clair au-dessus de nos têtes et qui dansent comme des ballerines.

De tout temps, les aurores boréales ont fasciné les hommes. Depuis l'antiquité, on se demande d'où elles viennent et, aujourd'hui encore, les savants ne savent pas exactement ce qui les produit.

Aux Îles, on disait que c'étaient des êtres surnaturels et que si on les provoquait, il pouvait nous arriver malheur. Un moyen entre autres de les provoquer consistait à chanter la chanson suivante:

Qui est-ce qui passe ici si tard
Compagnons des marionnettes
Qui est-ce qui passe ici si tard
Sur le quai

Ce sont trois jeunes pensionnaires
Compagnons des marionnettes

Ce sont trois jeunes pensionnaires
Sur le quai

Que veulent-ils ces pensionnaires
Compagnons des marionnettes
Que veulent-ils ces pensionnaires
Sur le quai

Une fille à marier
Compagnons des marionnettes
Une fille à marier
Sur le quai

Pas de fille à marier
Compagnons des marionnettes
Pas de fille à marier
Sur le quai

On m'a dit que vous en aviez
Compagnons des marionnettes
On m'a dit que vous en aviez
Sur le quai

Ceux qui l'ont dit se sont trompés
Compagnons des marionnettes
Ceux qui l'ont dit se sont trompés
Sur le quai

En chantant cette chanson, on risquait de recevoir une claque sur la gueule, au point que les oreilles nous sonnaient.

Un soir que deux jeunes garçons du Barachois revenaient du Cap-Vert, le ciel était couvert de marionnettes. On les voyait se promener en se tortillant: on aurait dit des danseuses exotiques. Soudain, l'un dit à l'autre: «Si on chantait la chanson des marionnettes, juste pour voir ce qui nous arriverait...» Il commence donc à chanter la chanson en question. A peine avait-il terminé le premier couplet, qu'il reçut dans le dos une claque qui l'envoya rouler dix pieds plus loin. Son compagnon, pris de panique, s'enfuit sans regarder en arrière. Il ne courait pas, il volait. L'autre, plus mort que vif, se releva en tremblant de tous ses membres, prit ses jambes à son cou et rentra à la maison. Par la suite, il ne provoqua plus jamais les marionnettes.

•

On pouvait regarder danser les marionnettes dans le ciel des soirées durant. C'était une espèce de spectacle en plein air pour lequel on n'avait même pas à se déplacer.

Un soir, Onésime alla veiller chez son ami Nicéphore en apportant avec lui son violon. Il s'assit sur le perron de l'entrée principale et commença à jouer des airs populaires tout en regardant les marionnettes qui dansaient dans le ciel. Alors, tout bonnement, Nicéphore dit à Onésime: «Y crois-tu, toi, aux marionnettes?

—Je ne sais pas si je dois y croire, répondit Onésime. Il y a tant de choses qui se passent et qu'on ne comprend pas: comme les lutins, les fantômes et les feux mystérieux qu'on voit des fois à l'Étang-du-Nord et à Havre-Aubert. Moi-même, j'en ai déjà vu, mais je ne sais pas ce que c'est. Sans pouvoir les expliquer, on sait qu'ils existent. Il ne faudrait pas qu'on nous entende parler de cela, parce qu'on nous prendrait pour des fous.»

Au bout d'un moment, Nicéphore ajouta: «Si tu veux, Onésime, dès ce soir on va voir si les histoires de marionnettes, c'est vrai. Tu vas jouer le *reel du diable*, et là, on va enfin voir si les vieux disaient la vérité. Mais avant, je vas aller te chercher la grosse chaise qui est près du poêle pour que tu sois bien assis.»

Onésime prend donc son violon et commence à jouer comme jamais il ne l'avait fait auparavant: il jouait si bien que les vaches dans le champ se mirent à danser et que l'engoulevent montait dans le ciel et redescendait en rasant le sol, en poussant son cri strident comme s'il avait voulu accompagner le violoneux. Les moutons se promenaient en gambadant autour de la maison comme pour participer à la danse. Les chevaux commencèrent à galoper dans le rang clos en hennissant comme s'ils étaient sur un champ de course. Une vraie soirée du samedi soir!

A peine avait-il commencé à jouer en observant les marionnettes, que celles-ci commencèrent à danser de plus en plus vite en s'entrecroisant et en s'approchant progressivement de lui, comme envoûtées par sa musique. Elles commencèrent à l'entourer, l'emprisonnant peu à peu dans leur ronde. Lui, comme magnétisé, continuait à jouer comme un robot: sa main tenant l'archet semblait être dirigée par un être invisible, alors que son corps était collé à la chaise, incapable d'un seul mouvement.

La panique s'empara de lui: les yeux sortis des orbites et les cheveux dressés sur la tête, il commença à réciter toutes les prières qu'il connaissait, essayant même d'en inventer d'autres.

Son ami Nicéphore qui, au début, était assis à ses côtés fut lui aussi pris de panique et se sauva dans la maison. Ne pouvant rien faire pour son ami, il se résigna à le regarder souffrir par la fenêtre. Au bout d'une bonne demi-heure, les marionnettes se retirèrent et disparurent avec le violon. Onésime, enfin délivré, bondit dans la maison, blême comme un mort et tremblant de tous ses membres. Il dit à Nicéphore: «Les vieux disaient bien la vérité! Ce qui me fait le plus de peine, c'est que mon violon a disparu.»

Aujourd'hui encore, par temps clair, lorsqu'on voit les marionnettes danser au-dessus de nos têtes, on entend comme un son de violon qui semble venir de très loin... C'est le violon d'Onésime.

Les petits lutins

TODORE avait un cheval, le plus beau et le plus rapide du Grand-Ruisseau. On ne voyait que très rarement Todore le soigner, et pourtant son cheval n'en était pas moins gros et son poil moins lisse et reluisant. Ce qui frappait et étonnait le plus les gens, c'étaient ses crins qui étaient toujours bien tressés. Ah! il avait une bonne mine ce cheval. Quand on demandait à Todore: «Quoi c'est que tu fais à ton cheval pour qu'il soit si beau et si fringant, toi qu'on voit jamais en prendre soin?» il répondait: «J'ai des petits amis qui en prennent soin pour moa.» On riait alors et on se moquait de lui. Il restait tout de même que c'était mystérieux.

Un jour, son ami Avila vient le voir et lui demande: «Dis-moi donc, Todore, comment ça se fait que ton cheval soit si beau. Quoi c'est que tu y fais?

—Écoute, Avila, dit-il, t'as déjà entendu parler des lutins qui soignent les animaux?...

—Oui, répond Avila, j'en ai déjà entendu parler; mais je n'y crois pas, à tes lutins. Tu veux tout de même pas me dire que c'est eux qui soignent ton cheval? Me prends-tu pour un fou?

—Bon, Avila, choque-toa pas; j'te disais rien que la vérité. T'es pas obligé de me croire.»

Avila s'en retourna chez lui sans croire à toutes ces histoires de lutins. Plusieurs jours plus tard, il revient voir Todore et lui dit: «Écoute, j'ai un secret à te dire. Mais surtout, pas un mot à personne! Tu sais, tes histoires de lutins, j'y crois. J't'avais jamais cru avant. Je pensais que tu m'contais des menteries. Mais hier soir il m'est arrivé toute une aventure. Je m'en allais faire mon train d'étable comme d'habitude. Arrivé à moitié chemin, j'entends un brouhaha qui venait de l'étable, comme des gens qui riaient et chantaient. J'm'approche tranquillement, sans faire de bruit, j'ouvre la porte de l'étable et quoi c'est que j'aperçois, dans un rayon de clair de lune? Un gang de petits hommes mesurant à peine dix pouces de haut, en train de brosser et de tresser les crins de mon cheval. Ils chantaient dans un langage que je ne comprenais pas. Tu parles d'une surprise! J'me d'mandais d'où c'est qu'ils venaient. Peut-être une hallucination? Pourtant, j'avais pas pris un coup. J'les ai examinés pendant une bonne demi-heure, et je m'suis aperçu que c'était pas une hallucination mais la réalité. Tout d'un coup, mon chien surgit, m'passe entre les jambes et commence à japper après eux. Ils se sauvent dans toutes les directions pour disparaître complètement, j'ignore où. Tu sais, continua-t-il, que j'ai jamais cru aux histoire de lutins que tu me contais. Tu sais aussi que tout le monde te prend pour un maudit menteur. J'aimerais pas qu'on dise la même chose de moa. Mais, depuis mon aventure d'hier soir, je sais que tu disais la vérité. Si ces lutins-là veulent prendre soin de mes animaux, tu penses bien que je vais les laisser faire. Ça m'évitera de me lever de bonne heure le matin pour le faire. Je sens qu'avec des serviteurs comme eux, j'vais vivre à l'aise: pas besoin de les nourrir, pas besoin de les payer, ni de les habiller. J'vais essayer de m'en faire des amis et de savoir d'où c'est qu'ils viennent. Pour moa, ça reste un mystère. Il arrivent comme ça, de nulle part, sans avertir personne. J'me demande bien s'ils parlent notre langue...»

Le lendemain soir, Avila retourna à son étable vers minuit. Il entra sans bruit et vit encore des dizaines de ces petits hommes en train de soigner le cheval. Il redoubla de prudence pour ne pas les apeurer. Puis, debout au milieu de la porte, il leur dit doucement: «D'où c'est que vous venez?» Les lutins le regardèrent et répétèrent en écho, d'une voix rauque: «D'où c'est que vous venez?» Il leur posa à nouveau la question à laquelle ils répondirent la même chose. Il leur dit alors: «Si vous n'voulez pas me répondre, je ne vous parlerai plus.» Les voix répétèrent: «... parlerai plus.» Cependant, Avila ne les avait pas effrayés, puisqu'ils ne s'étaient pas enfuis. Peut-être pourrait-il, avec un peu de patience, devenir leur ami. Il le souhaitait ardemment.

Il sortit de l'étable tout doucement, laissant les lutins soigner le cheval. Sur le chemin du retour, il réfléchit tout haut: «Mais d'où c'est qu'ils peuvent bien venir? C'est sûrement pas des petits diables parce qu'ils me feraient plus de tort que de bien; c'est pas non plus des anges parce qu'ils n'ont pas d'ailes. D'où c'est que ça peut bien venir? Ah! et puis j'm'en moque pas mal; pourvu qu'ils prennent soin de mes animaux, c'est le principal.»

Deux jours plus tard, on n'avait pas revu Avila. Où pouvait-il bien être allé? Sa femme s'inquiéta, elle questionna les voisins. On fouilla le canton de Grand-Ruisseau de fond en comble, partout, dans les sous-bois et jusqu'au bord de la mer. Toujours pas d'Avila! On ne trouva aucune trace de lui par la suite. Ni même son cadavre, rien! Où était-il? Personne ne pouvait le dire. On a prétendu que les lutins l'avaient enlevé et l'avaient emporté dans leur royaume, lui qui voulait être leur ami.

Depuis ce temps, quand on passe dans le chemin du Grand-Ruisseau, près de l'étable d'Avila, on entend des voix qui murmurent: «D'où c'est que vous venez? D'où c'est que vous venez?»

Les puces

ON était à la fin du mois d'août. L'été avait été très chaud cette année-là, rendant le travail plus ardu. Déjà, on avait coupé et mis en barge ou dans la grange le foin et l'avoine. Comme tous les ans, à la même saison, on en profitait pour vider nos vieilles paillasses et les remplir de paille fraîche pour une autre année. Après avoir couché pendant douze mois sur la même paillasse, il fallait la renouveler car elle était aplatie.

Ces paillasses présentaient un inconvénient: la paille attirait les puces. Et cette année-là, c'était une vraie épidémie; il y en avait des milliers qui s'acharnaient à piquer, laissant des taches rouges qui étaient très humiliantes, surtout pour les enfants qui fréquentaient l'école. Ces taches rouges apparaissaient en divers endroits du corps, bien à la vue de chacun, sur le cou, les bras, le visage. Même si ce n'était pas le cas, ceux qui étaient ainsi marqués étaient considérées comme malpropres—et c'étaient toujours les gens les plus pauvres, ceux qui n'avaient pas les moyens de s'acheter des matelas. Ils étaient condamnés à servir de pâture à ces petites bestioles indésirables.

Un jour, le petit David se préparait à se coucher. Il se tenait debout, immobile, près de la porte du grenier, observant les puces qui lui sautaient sur les pieds. Soudain, il en vit une qui commençait à grossir, à se transformer, pour prendre une forme humain de la taille d'un enfant de deux ans. Les yeux sortis des orbites, David tremblait de tous ses membres, ne comprenant rien à ce qui arrivait. Trop énervé et trop surpris pour pouvoir même bouger, il demeurait là, immobile, regardant fixement la puce qui avait pris la forme d'un petit lutin. Celui-ci le regarda et lui dit: «N'aie pas peur, mon petit; je ne te ferai pas de mal. Toutes les puces que tu vois ici sont des lutins comme moi. Une sorcière nous a jeté un mauvais sort. Depuis qu'on est devenus des puces, on essaie par tous les moyens de se sortir de cette maudite carcasse. Moi, j'ai réussi, comme tu vois; mais les autres, je ne suis pas sûr qu'elles puissent redevenir lutins.» Revenu de sa surprise et intrigué, David lui demanda: «Avant que vous deveniez des puces, où étiez-vous?

—On vivait dans le petit bois qu'il y a en arrière d'ici, répondit le lutin, mais on était invisibles pour la plupart des gens et on ne sortait jamais le jour. La nuit, on sortait pour se désennuyer. On prenait alors des chevaux gardés dans des étables et on allait se promener à travers les champs. Ah! ne va pas croire qu'on les maganait; au contraire, on les soignait bien. On leur faisait toujours le poil bien lisse, et on leur tressait soigneusement les crins. Si tu savais comme on est malheureux depuis que cette méchante sorcière nous a changés en puces!

—Mais pourquoi vous acharnez-vous à nous piquer?

—On ne veut pas vous piquer, répondit le lutin; on saute comme ça pour tenter de sortir de nos carcasses de vilaines puces. Tiens, pour te prouver qu'on n'est pas méchants, demande-moi tout ce que tu veux et je te l'accorderai!» David était pris au dépourvu; il en avait trop à lui demander. Mais comme, au fond, il ne croyait pas tout à fait à ce que lui proposait le lutin, il lui dit: «Ce que je veux pour tout de suite, c'est que toutes les puces de la maison disparaissent.» Le lutin lança aussitôt un sifflement aigu, qui fit disparaître du même coup toutes les puces et lui-même. Alors David se coucha, heureux d'être débarrassé des puces mais rêvant à tout ce qu'il aurait pu obtenir s'il n'avait pas été pris au dépourvu...

L'homme de la pointe

Il était né aux Îles. Depuis plus de quarante ans, il vivait aux États-Unis, à New-York plus exactement, où il était employé de chemin de fer. Ses Îles lui avaient toujours manqué. Tout au long de ces années à l'étranger, il rêvait de revenir dans ses chères Îles pour y finir ses jours!

Son rêve se réalisa. Et, quand il descendit de l'avion qui l'avait amené, il étouffa un grand cri de joie. Son coeur palpitait à lui faire mal. L'envie lui prit alors de se jeter à genoux et d'embrasser le sol qui l'avait vu naître; mais il n'en fit rien, par crainte du ridicule.

Il avait respiré si longtemps l'air pollué de la ville, qu'il en avait les poumons malades; car son emploi ne lui permettait pas de s'éloigner de la ville pour une longue période de temps. Il avait donc économisé au cours de ces années de travail, pour réaliser son grand rêve. Le jour de son retour, il faisait un soleil radieux; un vent du sud, léger et chaud, lui sifflait aux oreilles comme pour lui souhaiter la bienvenue et lui prédire une heureuse vieillesse sur les Îles.

Il était seul, sans famille, car il était fils unique et ses parents étaient morts depuis longtemps. Il était toujours célibataire. Parmi la foule qui s'était massée à l'aéroport, il crut toutefois reconnaître un lointain cousin à lui. Il s'approcha de lui et se présenta. Son cousin, se rappelant avoir entendu parler de lui, l'invita à la maison pour lui présenter sa femme et ses enfants. Il y demeura plusieurs semaines en attendant d'acheter un terrain où il pourrait se construire une cabane. Un jour qu'il revenait de Cap-aux-Meules, il annonça à son cousin que la chose était faite et qu'il avait son terrain. C'était une pointe mi-sable, mi-terre arable, qui s'avançait dans la mer. Il était au comble de la joie: des deux côtés, il pouvait maintenant voir la mer et, en face, le large à perte de vue, sans aucune obstruction. Enfin, il pouvait respirer l'air pur à pleins poumons.

Tout l'été, il aménagea son terrain; il ramassa du bois de côte pour la construction de sa cabane qu'il commença à bâtir à l'automne. Juste avant l'arrivée des premières neiges, il s'installa dans sa nouvelle demeure et y passa l'hiver, ne sortant que de temps en temps pour aller chercher de la nourriture au magasin général de Cap-aux-Meules.

Il ne recevait personne chez lui et pourtant, toutes les nuits, jusqu'à trois heures du matin, on pouvait voir une petite lumière qui brillait à travers la vitre et des ombres qui bougeaient dans la cabane comme s'il y avait eu une soirée de danse. La nuit, personne n'osait approcher de la cabane de la pointe; car il s'y passait des choses anormales, disait-on.

L'hiver passa. Au printemps, on put voir l'homme bêcher son terrain pour faire un jardin où cultiver des légumes. Quand venait la nuit, tout était calme. On ne voyait plus la petite lumière dans la cabane. L'été passa, puis l'automne. Aux premières neiges, la lumière recommença à briller la nuit et on pouvait de nouveau voir des ombres qui se déplaçaient.

Des jeunes du canton parmi les plus braves osèrent, une nuit, s'aventurer près de la cabane. Ce qu'ils virent par la fenêtre leur fit dresser les cheveux sur la tête: l'homme de la pointe était assis dans un coin de la cabane et fumait sa pipe. Il était triste à faire pitié et, tout autour de la table de la cuisine, dansaient de petits hommes—des lutins sans doute. Les jeunes regardèrent ce spectacle pendant une bonne demi-heure, comme figés. Puis, comprenant que ce spectacle n'était pas normal, la peur s'empara d'eux; alors, prenant leurs jambes à leur cou, ils retournèrent en vitesse chacun chez soi.

Le lendemain soir, poussés par la curiosité, ils revinrent sur les lieux. Or, en approchant de la cabane de la pointe, ils s'aperçurent qu'il n'y avait pas de lumière. Ils regardèrent par la fenêtre mais ne virent rien: la cabane était déserte et l'homme, disparu. On fit des recherches partout sans rien trouver, ni ce jour-là ni les jours qui suivirent.

On ne revit plus jamais celui qu'on avait surnommé l'homme de la pointe.

L'homme mystérieux de l'Île d'Entrée

L'ÎLE d'Entrée est une des îles située à l'entrée de la Baie de Plaisance et habitée par une quarantaine de familles de descendances écossaise et irlandaise. On y vit d'agriculture et de pêche.

L'île est très jolie. Elle est protégée du vent du nord par de hautes falaises, et la plupart de ses habitants vivent dans la plaine. La vie sur l'île se déroule de façon paisible. Il n'y a ni police, ni prison, ni crime. Le bateau constitue le seul lien avec le reste de l'archipel. L'île a été témoin de nombreux naufrages; entre autres, de pauvres gens venant d'Europe, en route vers le centre du continent, firent naufrage à l'île et, par la force des choses, décidèrent d'y demeurer.

Un jour, un homme mystérieux débarqua sur l'île. Il avait la taille d'un géant et son visage avait une expression qui faisait peur aux gens. Sans dire un mot à personne, il débarqua du petit bateau qui l'avait transporté sur l'île et se dirigea avec ses bagages vers la plus haute butte. Il marchait très vite, comme si l'endroit lui était familier, regardant de temps en temps en arrière d'un air méfiant, comme s'il craignait d'être suivi. Il disparut dans le sous-bois, par un petit sentier qui conduisait au faîte de la montagne.

Peu de gens l'avait vu débarquer, à part quelques hommes de l'équipage du bateau. Depuis son arrivée, toutes sortes d'histoires couraient à son sujet. On disait qu'il était possédé du diable, qu'il était venu chercher un trésor, ou encore que c'était un meurtrier recherché par la police. On disait encore beaucoup de choses effrayantes à son sujet. Parfois, le soir, on voyait un feu allumé tout en haut de la butte. On aurait dit un signal destiné à un bateau mystérieux rôdant dans les parages.

Entretemps, les gens se demandaient comment pouvait vivre le solitaire. Il avait emporté avec lui si peu de bagages. Où donc prenait-il sa nourriture, lui qu'on ne voyait jamais descendre de la butte?

Un soir, à la tombée de la nuit, la femme de Jimmy McLean alla chercher une courgée d'eau au ruisseau qui coulait de la butte. Après avoir rempli son siau d'eau, elle releva la tête et aperçut, à une vingtaine de pieds plus haut, un géant tout de noir habillé, son chapeau enfoncé sur les yeux, et qui la regardait fixement. La peur la cloua sur place. Puis, après un moment, faisant un effort désespéré, elle se releva et, laissant là ses deux siaux, s'enfuit à toutes jambes.

La voyant arriver à bout de souffle, tout en nage et les yeux sortis de la tête, son mari lui demanda: «Quoi c'est qui 'est arrivé? Assis-toi avant de t'évanouir!»

—Imagine-toi, dit-elle, que je viens de voir le diable!

—Comment, reprit Jimmy, t'as vu le diable? Comment c'est qu'il était, le diable?

—Il était, dit-elle, haut comme la maison, habillé tout en noir, avec des yeux brillants comme le feu et la bouche toute tordue comme s'il avait voulu sourire. Il était à ras du ruisseau où j'allais cri de l'eau.

—Ah! oui, fit-il, j'sais quoi c'est que t'as vu: c'est l'homme qui est débarqué sur l'île la semaine dernière. Y t'a-t-y touchée? Y t'a-t-y fait mal?

—Non! dit sa femme, y m'a pas fait mal, mais y m'regardait avec un drôle d'air.

—En tous cas, dit Jimmy, dès demain matin, j'vas aller cri mes cousins et j'vas aller voir c't'homme-là pour y parler. Ça n'restera pas comme ça! Si y pense qu'il va venir ici et faire peur à nos femmes, y s'trompe! C'te Godam'-là, on va l'arranger!»

Comme de fait, le lendemain matin, Jimmy et ses cousins partirent à la recherche de cet homme mystérieux qui faisait si peur aux femmes. Ils contournèrent le petit ruisseau, puis suivirent le sentier jusqu'en haut de la butte. Arrivés là, ils aperçurent une petite cabane en bois rond assise sur des fondements de béton armé: c'était celle de l'étranger. Où donc avait-il pris les matériaux nécessaires à la construction de sa cabane, lui qui ne descendait jamais de la butte? Mystère! Jimmy et ses cousins poursuivirent leurs recherches pour trouver l'étranger: dans le sous-bois, dans les fentes des rochers et même sur la plage au pied de la falaise. Toujours rien! Comme si le mystérieux personnage s'était envolé.

Depuis, cet homme d'aspect étrange n'a cessé de faire l'objet de multiples questions, à savoir: d'où il venait, comment il vivait et ce qu'il mangeait. Le mystère continue de planer...

L'odyssée des chasseurs de loups-marins

LE soleil commençait à poindre à l'horizon. Il était à peine cinq heures; pour Alpide, c'était l'heure de se lever. Après s'être habillé, il réveilla son escouade et tous partirent à la chasse aux loups-marins. Le vent était favorable et le soleil brillait; la chasse s'annonçait bonne. D'autant plus que la veille, une mouvée considérable avait été aperçue au large de l'Étang-des-Caps.

Pendant plusieurs mois, on avait travaillé sans relâche pour se gréer. Gaffes, grappins, canotte à glace, tout était prêt ce matin-là pour la grande aventure. On était à la mi-mars et, depuis le commencement du mois, chacun avait son permis de chasse. Mais le temps n'était pas favorable, de sorte qu'on avait dû attendre avec impatience le retour du beau temps. Le moment était enfin arrivé. On espérait que le petit suroît des jours derniers ait poussé les loups-marins un peu plus proche de terre; ainsi, on n'aurait pas à marcher trop loin.

On se voyait déjà riche de plusieurs centaines de piastres. Mais cet argent-là était dépensé d'avance pour payer des dettes accumulées. Si seulement, si disait-on, on pouvait avoir son industrie à soi, on serait beaucoup plus motivé et encouragé. Finalement, on avait l'impression de travailler comme des fous pour enrichir des étrangers. Mais on revenait vite à la réalité en se disant que ça ne donnait rien de rêver...

L'escouade, avec Alpide pour chef, était composée de sept hommes. Tout l'équipement était transporté dans le canotte à glace, sauf les grappins que chacun portait à ses bottes. Le soleil était déjà haut dans le ciel. La neige dure crissait sous le poids du canotte. On passa le débarrit sans difficulté et, trois milles plus loin, on dépassa un deuxième amoncellement de glaces. Toujours pas de loups-marins. Cependant, au loin, des cris se faisaient entendre. Le sang commençait à bouillir dans les veines des chasseurs; on apercevait enfin ce que tout chasseur souhaite voir au moins une fois dans sa vie: «la grande mouvée», c'est-à-dire des milliers et des milliers de loups-marins sur la glace. Malgré leur grande fatigue, ils commencèrent leur chasse avec en tête une seule idée: tuer autant de loups-marins qu'ils pouvaient en emporter.

Après avoir chassé toute la journée, on chargea jusqu'au bord le canotte de toutes ces belles peaux. Après quoi on s'arrêta pour se reposer un peu et manger quelques tourteaux doux accompagnés d'une bouteille de thé. Après ce frugal repas, on rebroussa chemin en tirant le canotte à glace chargé du précieux butin. Même s'il était très lourd, ce n'était rien pour ces hommes vigoureux.

Une demi-heure après leur départ, le vent vira à l'ouest et, presque aussitôt, de gros flocons de neige se mirent à tomber. Puis la force du vent augmenta, et on entendit au loin le bruit des glaces qui s'entrechoquaient. On avançait toujours malgré la fatigue; par moments, un des hommes trébuchait, s'écorchant le genou et poussant un juron familier aux Madelinots: «Godême!»

Enfin, la visibilité devint nulle. Malgré le froid qui augmentait, on continuait à avancer sans trop savoir où on allait. A plusieurs reprises, on dut mettre le canotte à l'eau pour traverser des saignées. De temps en temps, Alpide avait un mot d'encouragement pour ses hommes. La neige, cette neige du mois de mars qui colle aux vêtements, les faisait ressembler plus à des fantômes qu'à des êtres humains. Les moins persévérants, se croyant perdus à tout jamais, commencèrent à réciter des prières à hautes voix, incitant les autres à répéter en choeur.

Plus de cinq heures s'étaient écoulées depuis qu'on avait laissé la mouvée. On marchait toujours à l'aveuglette, sans espoir de revenir vivant. Seul

Alpide, le chef, espérait encore et à l'occasion encourageait les autres. Déjà, on avait les pieds presque gelés et les articulations des mains jouaient plus difficilement. La faim les tiraillait. Soudain, Lionel, le plus jeune du groupe, poussa un cri: «Hé! j'vois comme un ombrage en face de nous; on dirait un bateau.» Les autres ne voyaient rien. Alpide se dit en lui-même: «Le pauvre diable, il commence à avoir des hallucinations.» Or, plus on approchait, plus on se rendait compte que ce n'étaient pas des hallucinations, mais en fait le rocher du Corps-Mort. Ils le reconnurent tout de suite. Ils étaient sauvés; sachant maintenant où ils étaient, ils n'avaient plus qu'à attendre une accalmie. Il ne leur manquait plus qu'un abri. Arrivés au Corps-Mort, ils virent un peu plus loin, au pied de la falaise, une ancienne cabane de chasseurs. Dedans, il y avait un poêle et du bois. On prépara un bon feu pour faire cuire du petit maigre de loup-marin et l'on mangea à sa faim. Après le souper, tous tombèrent endormis dans la bonne chaleur du poêle; seul Alpide resta éveillé pour entretenir le feu.

Dehors, le vent avait cessé de souffler. La neige ne tombait plus et la lune éclairait le rocher. Tout était calme: on n'entendait que les ronflements des hommes endormis. Tout à coup, une roche énorme qui s'était détachée du haut de la falaise vint s'écraser sur le toit de la cabane, le défonça et tomba sur le poêle. En l'espace de quelques minutes, le feu s'étendit à toute la cabane. Heureusement, tous les chasseurs purent sortir sans la moindre égratignure.

Pendant ce temps, à l'Étang-du-Nord, le grand Paul, qui s'apprêtait à se coucher, jeta un dernier coup d'oeil par la fenêtre. Il aperçut le feu au Corps-Mort. Tout de suite, il pensa aux chasseurs partis depuis le matin et de qui on n'avait plus de nouvelles. Il s'habilla, courut rassembler les voisins et organisa une équipe de secours. Les chasseurs de loups-marins étaient enfin sauvés!

Alpide se faisait un orgueil d'avoir pu résister à pareille tempête et d'avoir ramené son escouade saine et sauve, avec tout son équipement. Longtemps après, on parlait encore de l'odyssée des chasseurs de loups-marins.

Marie la douce

ELLE était petite, gentille et très jolie. A cause de sa force extraordinaire, ceux qui la connaissaient n'osaient la provoquer.

Quand son père arrivait au quai avec son bateau chargé de poisson, il demandait toujours à Marie de lui donner un coup de main pour le déchargement. On la voyait aussitôt soulever avec empressement des quarts de farine pesant plus de trois cents livres et les empiler sur le quai comme si de rien n'était.

Elle était la plus âgée de la famille et son père, qui aurait préféré avoir un garçon, la considérait comme si elle en était un. Et d'ailleurs, très peu d'hommes auraient pu travailler comme elle le faisait. Quand Marie allait dans une soirée, elle choisissait l'homme qu'elle voulait et se montrait gentille envers lui; personne d'autre n'osait alors l'approcher.

Un jour, le grand Charles à Sophique, le don

Juan du canton, se mit dans la tête de la violer. Depuis plusieurs jours déjà, il observait les allées et venues de Marie. Il remarqua que tous les après-midi, vers deux heures, elle allait avec ses deux siaux chercher de l'eau au puits en empruntant un sentier à travers bois. Il décida de se cacher dans le sous-bois et de l'attendre. Lorsqu'elle vint à passer, il l'appela tout doucement: «Marie!» Elle se retourna et regarda de tous côtés sans rien voir. Il changea de position, se rapprochant ainsi d'elle. Il l'appela encore: «Marie!» A peine retournée, elle aperçut un grand bras qui la saisit brusquement et l'entraîna dans les buissons. Il essaya de la déshabiller mais, ne sachant pas à qui elle avait affaire, elle se débattit comme un diable dans l'eau bénite et lui donna un coup de poing dans le bas-ventre. Il en perdit le souffle et alla rouler sur le sol en se lamentant. Marie se releva, prit ses deux siaux et retourna à la maison, satisfaite d'avoir encore une fois défendu sa vertu contre un homme qu'elle n'aimait pas.

Une autre fois, une marée comme diraient les Madelinots, elle assistait à une soirée du samedi soir chez des amis. Pendant qu'elle dansait avec un jeune homme qu'elle aimait beaucoup, Placide alla vers le couple et dit au jeune homme: «Donne-moi une chance, je veux danser avec Marie.» Elle s'empressa de lui dire: «Je ne veux pas danser avec toi!»

—Comment, reprit-il, tu ne veux pas danser avec moi? Je vaux autant que ton ami Léo! As-tu dédain de moi?

—Oui! fit-elle, et efface-toi au plus vite!...

—Si t'avais pas une robe, fit-il, furieux, j'te noircirais les deux yeux.

—Ah! tu ferais ça, dit-elle. Si tu veux, je vais ôter ma robe.»

Aussitôt dit, aussitôt fait: ils s'installèrent au milieu de la place. Placide prend la position d'un boxeur. Marie, elle, fait ni une ni deux et d'un bond lui enfonce ses deux pieds dans l'estomac, l'envoyant s'étendre sur le plancher, sans connaissance. Encore une fois, elle venait de sauver sa vertu.

Elle continua à danser jusqu'à la fin de la soirée avec son ami Léo qui, après la danse, lui dit: «Marie, j'ai quelque chose à te demander. Si tu veux, à l'été, après la pêche aux cages, quand ma gâgne sera faite, on va se marier.» Elle lui sauta au cou et lui dit: «Ah! oui, mon amour; depuis longtemps j'attendais que tu me le demandes!» L'été suivant, Léo et Marie se marièrent. Depuis, quand Léo part pour la pêche, il n'est pas inquiet, sachant que Marie peut prendre soin d'elle. Aucun homme n'oserait l'approcher, à moins qu'elle ne devienne amoureuse de quelque bouscaud... Mais ça, il ne voulait pas y penser!

Pascal le bâtisseur

PASCAL pouvait faire n'importe quoi de ses deux mains. Au dire des voisins, son travail n'était cependant pas toujours parfait. Mais lui se montrait satisfait de ce qu'il faisait. Ce genre de travail occupait une grande place dans sa vie. Très actif, fort travaillant et toujours d'humeur égale, il s'affairait du matin jusqu'au soir avec son marteau et son égoïne, se construisant une charrette ou réparant sa grange et sa maison.

Il était aussi très serviable envers ses voisins, qui sollicitaient souvent son aide. Un jour, l'un d'entre eux vint lui demander de construire la cheminée de sa maison neuve. Outils en mains, il monte sur le toit et commence le travail. Au bout de plusieurs jours, une fois la cheminée terminée, il la regarde d'en bas et constate qu'il l'a bâtie toute croche. Il n'en souffla mot à personne. Le lendemain matin, son voisin vint voir le travail. Quand il aperçut la cheminée, il devint rouge de colère et alla aussitôt trouver Pascal. «Écoute, mon vieux, lui dit-il, le travail que tu viens de faire est bon à rien. Viens défaire la cheminée et remonte-la comme il faut.» Pascal le regarda, un peu ennuyé, puis une idée lui vint à l'esprit. «Ta cheminée, lui fit-il remarquer, est croche parce que j'ai voulu la faire croche! Tu sais, quand la boucane sort d'une cheminée et qu'il vente un peu, elle aussi devient croche. J'ai donc voulu, en mettant la cheminée croche, que la boucane sorte croche du poêle. Tu verras, ça sera beaucoup mieux.»

La réponse de Pascal avait probablement satisfait son voisin, puisqu'il n'est plus revenu à la charge.

•

Une autre fois, son beau-frère Jean-Louis lui demanda s'il accepterait de lui bâtir un bateau de pêche, qu'il lui paierait avec les patates qu'il prévoyait récolter en abondance à l'automnne. «D'accord, dit-il; pour deux cents sacs de patates, je fais ton bateau.» Marché conclu, il commence la construction du bateau à côté de sa grange.

Tous les soirs, après la pêche, il y travaillait jusqu'à minuit. Certains voisins venaient parfois le voir travailler mais lui offraient rarement un coup de main. Après plusieurs mois de dur labeur, le bateau fut terminé. On le transporta alors jusqu'à la côte et on le mit à l'eau. On fit démarrer le moteur. Tout semblait fonctionner normalement, jusqu'à ce qu'on réalise qu'il était impossible de le diriger. On se demanda ce qui pouvait bien manquer. Alors que le bateau était rendu au large, on finit par s'apercevoir que le gouvernail manquait. C'est de peine et de misère que les deux hommes de l'équipage revinrent à la côte.

•

Travaillant souvent pour les autres, Pascal se dit un beau jour: «Ah bé, Godême! ça fait assez longtemps que je pense aux autres, il est temps que je commence à travailler pour moa.» Son bateau de pêche était vieux, et il commençait à prendre l'eau. Il fallait songer à en construire un neuf avant qu'un accident ne se produise. Sa décision prise, il se prépara à bâtir son bateau neuf. Comme l'automne était déjà avancé et qu'il commençait à neiger, il était impossible de le construire à l'extérieur. Pascal décida donc de le bâtir à l'intérieur, soit dans le salon de sa propre maison. Tout l'hiver, il scia, rabota, cloua, travailla comme un forcené pour finir avant que la saison de pêche ne commence. Le bateau terminé, il le peintura en blanc.

Tous ses amis qui venaient le voir travailler lui disaient: «Pascal, t'as un maudit beau bateau mais il y a quelque chose qui manque... On peut pas dire au juste quoi que c'est.» Il répondait: «Y a rien qui manque, tout y est! Ça fait assez longtemps que je travaille après.»

Quand vint le temps de le sortir de la maison, il s'aperçut, trop tard hélas! que la porte de la maison était trop petite pour laisser passer le bateau. Il fallut démolir un mur pour le sortir.

Une chasse à l'outarde

ON était à la mi-octobre et, depuis la fin de septembre, on voyait des vols d'outardes se diriger vers le sud. Leurs cris de trompettes venaient de loin et de haut quand le vent portait.

Gaston et Marcel, deux amis dans la trentaine, préparaient déjà leur fusil pour la chasse. Partenaires dans une même entreprise, ils étaient devenus deux amis inséparables. Un dimanche matin, ils partirent en jeep de Cap-aux-Meules pour se rendre à la Grosse-Île. Dehors, il pleuvait à boire debout; c'était une pluie chaude comme on en voit rarement en automne. Ils traversèrent le Havre-aux-Maisons comme un éclair, la jeep cahotant sur le chemin du détroit, puis dépassèrent la Pointe-aux-Loups pour arriver enfin à la Grosse-Île. Ils obliquèrent alors vers la gauche pour se diriger vers la Pointe de l'Est, traversant les buttereaux au ralenti pour ne pas chavirer. Ils parvinrent finalement à une grande mare d'eau salée, une sorte de marais où les outardes et les canards abondent. Gaston et Marcel étaient au comble de la joie; ils avaient devant les yeux le rêve de tout chasseur. Ils pensaient déjà aux bons repas d'outarde qu'ils feraient. Le petit chien Dashund qui les accompagnait jappait de joie. Même s'il était petit, il aurait la chance de montrer à son maître son savoir-faire. Mais Gaston le fit taire, craignant qu'il n'effraie le giblier.

Ils descendirent de la jeep et prirent position en arrière d'un buttereau. Puis, Marcel se plaça à cinquante pieds de Gaston. Celui-ci épaula son fusil et visa, mais, comme il s'apprêtait à appuyer sur la détente, il vit comme une forme humaine s'élever du marais pour disparaître aussitôt. Surpris et intrigué à la fois, il se retourna vers Marcel et lui demanda: «As-tu vu c'que j'ai vu?

—Non, dit celui-ci, mais j'ai entendu une voix qui disait: «Ne tirez pas!»

Gaston et Marcel se dirent que c'était peut-être le fruit de leur imagination qui, dans ces lieux paisibles, était plus aiguisée, plus sensible. Gaston reprit donc sa position de tir. La même chose se produisit: le même fantôme apparut et Marcel entendit la même voix qui disait: «Ne tirez pas!» Pris de panique, ils s'en retournèrent à la jeep en courant, suivis du chien. Le moteur en marche, ils partirent en trombe, prirent le chemin de la

Grosse-Île, sautant parfois deux buttereaux à la fois, sans regarder en arrière. Le chemin de retour fut très court; ils arrivèrent à Cap-aux-Meules bredouilles, sans le moindre gibier, pas même une sarcelle.

Il fallait maintenant fournir une explication valable aux amis—eux, les tireurs experts. On prétexta qu'il pleuvait à boire debout, ce qui nuisait au tir. L'explication fut acceptée.

Plus tard, Gaston et Marcel discutèrent de l'incident de la Pointe de l'Est, sans toutefois y trouver une explication adéquate. Ils racontèrent donc leur aventure à un vieil homme qui vivait sur Les Caps, et celui-ci leur trouva la réponse. Il leur dit: «A l'endroit où vous êtes allés chasser se trouve justement, au pied du buttereau, le corps des naufragés du bateau *SS Miracle*; c'est là qu'on les avait enterrés en 1847. Et l'âme de ces morts-là n'aime pas être dérangée, surtout pas le dimanche!» La voilà, l'explication.

Glossaire

Arranger	sens de régler
Balloune	prendre une balloune, prendre une cuite; s'enivrer
Barge	meule de foin de forme rectangulaire
Baraque	construction en planches disposées de façon espacée et surmontée d'un toit soutenu par des chevilles de fer à chaque coin, et servant à emmagasiner du foin
Basané	aux Îles, taches rousses sur la peau
Boëtte	appât dont on se sert pour la pêche à la morue
Bouscaud	personne trapue, fier-à-bras
Brasse	mesure de la longueur des deux bras étendus. Ancienne mesure de longueur, valant en France 5 pieds, soit 1,624 m.
Brodequir	sorte de chaussure imitée des anciens
Brosse	prendre une brosse, s'enivrer
Brick	de l'anglais Brig: navire de petit tonnage à deux mâts gréés à voiles carrées
Brunante	au Canada, crépuscule

B.T.U.	goélette faisant la navette de Pictou aux Îles-de-la-Madeleine et transportant entre autres choses du charbon; échouée à la dune de Havre-Aubert en 1957
Butin	ce qu'on enlève à l'ennemi; aussi linge en général
Buttereau	pour butte: petite élévation de terre
Canistre	de l'anglais canister, bidon; par ext: une canistre de sirop d'érable, de fer blanc, de peinture
Canotte	pour canot: petit bateau, embarcation légère mue à l'aviron
Capot	terme québécois pour dire paletot
Chalin	pour chaline: éclair de chaleur
Char	dans le contexte, voiture automobile
Chaudasse	éméché, légèrement ivre
Chavirer	sens de devenir fou; déraisonner. Aussi être tourné sens dessus dessous
Cocu	danse en vogue autrefois aux Îles
Courgée	désignant le transport de deux grands seaux d'eau
Cri	pour quérir: chercher avec charge d'amener ou d'apporter
Criniasse	pour crinière: chevelure longue et épaisse
Débarrit	amoncellement de glace qui se forme autour des Îles
De valeur	utilisé aux Îles pour c'est dommage
Éloise	utilisé aux Îles pour éclair

En masse	terme québécois pour dire beaucoup, en abondance
Éparer	utilisé aux Îles pour étendre (épars = dispersé, sans ordre)
Escouade	ici, partie d'un groupe d'hommes sous les ordres d'un chef
Fat-chin	probablement de l'anglais fat chin: joue grasse; par ext: elle n'est pas grasse, pas en santé, pas en forme
Feu-follet	flamme légère et fugitive, produite par la combustion spontanée du méthane et d'autres gaz inflammables qui se dégagent des endroits marécageux et des lieux où se décomposent des matières animales
Folies	sens de niaiseries: choses frivoles
Fore castle	château d'avant: autrefois, espèce de logement qui était élevé sur la poupe ou sur la proue d'un vaisseau; aussi château d'arrière
Forger	au figuré: inventer
Fortiller	terme québécois pour frétiller
Gâgne	ce que l'on gagne, salaire, profit
Garrocher	terme québécois pour jeter, lancer
Godam'	juron anglais God damned, signifiant maudit; aussi Godême
Godêche	juron anglais God ash
Grand-cadre	charrette à ridelles, à deux ou quatre roues, servant à transporter du foin
Grappins	utilisé aux Îles pour crampons. Cana-

	dianisme: crampons fixés aux semelles pour ne pas glisser sur la glace
Hucher	appeler en criant et en sifflant
Jongler	au Québec, sens de réfléchir
Maganer	terme québécois pour maltraiter, malmener
Marée (une)	sens de: une fois, il était une marée...
Marionnette	sens de: aurore boréale
Masse (en)	beaucoup, en abondance
Matcher	appareiller; terme québécois: faire se connaître, se rencontrer un jeune homme et une jeune fille
Menterie	pour mensonge
Misère	terme québécois pour difficulté
Mouvée	banc de poissons: mouvée de harengs, de sardines
North-Gaspé	bateau appartenant à la Clarke Steamship de Clark City, il a fait la navette entre Montréal et les Îles durant environ 25 ans
Pacage	pâturage
Patente	au Québec, brevet d'invention; l'invention elle-même
Pendriff	de l'anglais pearl riff: écueil de perles
Pitoune	utilisé ici pour fille bien tournée
Ponchon	du mot anglais puncheon, large cast of varying capacity (also it's volume as a measure). In England formerly the wine puncheon was 84 wine gallons (70 imperial gallons). The beer pun-

	cheon was equal to two barrels or 72 gallons.
Pourci	mammifère marin de l'estuaire du Saint-Laurent ressemblant au lamentin
Revoler	jaillir, être projeté
Rondir	utilisé aux Îles pour contourner
Ruines-babines	terme québécois pour harmonica ou la guimbarde
Saignée	dit pour espace d'eau entre les glaces
S'écarter	au Québec pour s'égarer, perdre son chemin
Siau	pour seau
Souquer	raidir un câble, une amarre; utilisé aux Îles pour serrer, étreindre
Tabagane	au Québec traîneau sans patins fait de planches minces recourbées par le devant, dit aussi traîne sauvage; aux Îles, dit pour toboggan, traîneau constitué de deux groupes de patins sur lesquels repose une planche et qu'on dirige avec les pieds ou à l'aide d'un volant
Tirer	tirer les vaches, pour traire
Traîne	utilisé pour traîneau: véhicule muni de patins, que l'on fait glisser sur la glace et la neige
Turluter	terme québécois pour fredonner
Zire	utilisé aux Îles pour qui inspire du dégoût; faire zire, avoir zire

Table

LES CONTES D'AZADE

CET OUVRAGE
COMPOSÉ EN GARAMOND CORPS 14 SUR 16
A ÉTÉ ACHEVÉ D'IMPRIMER
A TROIS MILLE EXEMPLAIRES
SUR PAPIER BOUFFANT SUBSTANCE 120
LE SEPT MAI MIL NEUF CENT SOIXANTE-QUINZE
PAR LES TRAVAILLEURS
DES PRESSES
DE L'IMPRIMERIE GAGNÉ LIMITÉE
A SAINT-JUSTIN
POUR LE COMPTE DES ÉDITIONS DE L'AURORE

collection le goglu

déjà parus:

Contes de Jos Violon, Louis Fréchette
Contes de la Lièvre, Robert Lalonde
L'Offrande aux Vierges folles, Alfred DesRochers
De tribord à bâbord, Faucher de Saint-Maurice